William George Jordan

O poder da verdade

Título original: *The power of truth*

Copyright © 1902 William George Jordan

O poder da verdade
1ª edição: Julho 2021

Direitos reservados desta edição: CDG Edições e Publicações

O conteúdo desta obra é de total responsabilidade do autor e não reflete necessariamente a opinião da editora.

Autor:
William George Jordan

Tradução:
Marcia Men

Revisão:
3GB Consulting

Projeto gráfico:
Jéssica Wendy

DADOS INTERNACIONAIS DE CATALOGAÇÃO NA PUBLICAÇÃO (CIP)

Jordan, William George
  O poder de verdade : a coragem para derrotar o inimigo que está dentro de você / William George Jordan ; tradução de Marcia Men. – São Paulo : Citadel, 2021.
  112 p.

ISBN: 978-65-87885-48-3

Título original: The power of truth

1. Autoajuda 2. Desenvolvimento pessoal I. Título II. Men, Marcia

21-2534   CDD - 158.1

Angélica Ilacqua - Bibliotecária - CRB-8/7057

Produção editorial e distribuição:

contato@citadel.com.br
www.citadel.com.br

William George Jordan

O poder da verdade

A coragem para derrotar
o inimigo que está
dentro de você

Tradução:
Marcia Men

TEMPORALIS

Sumário

O poder da verdade 7

A coragem para enfrentar a ingratidão 23

Pessoas que vivem em castelos de ar 35

Espadas e bainhas 47

A conquista do evitável 59

A companhia da tolerância 73

As coisas que chegam tarde demais 87

O caminho do reformista 99

O poder da verdade

O poder da verdade

VERDADE é a base sólida de todo grande caráter. É a lealdade à retidão, segundo nossa visão; é o ato de viver corajosamente nossas vidas em harmonia com nossos ideais; é sempre poder.

A verdade desafia uma definição plena. Assim como a eletricidade, só pode ser explicada reparando em sua manifestação. Ela é o compasso da alma, a guardiã da consciência, a pedra de toque final do que é certo. A verdade é a revelação do ideal; mas é também uma inspiração para realizar aquele ideal, um impulso constante para vivê-lo.

Mentir é um dos vícios mais antigos no mundo – ele estreou na primeira conversa registrada na história, em uma famosa entrevista no jardim do Éden. Mentir é o sacrifício da honra para criar uma impressão errônea. É se disfarçar de virtudes desajeitadas. A verdade pode se manter sozinha, pois não precisa de guia nem acompanhante. As mentiras são coisas temerosas e acovardadas que precisam viajar em batalhões. Elas se parecem muito com homens bêbados, cada um buscando de forma vã o apoio dos outros. Ela é o câncer da degenerescência moral na vida do indivíduo.

O poder da verdade

A verdade é a mais antiga de todas as virtudes; ela antecede a humanidade, já estava viva antes que existisse a humanidade para percebê-la ou aceitá-la. Ela é a imutável, a constante. A lei é a verdade eterna da Natureza – a unidade que sempre produz resultados idênticos sob condições idênticas. Quando alguém descobre uma grande verdade na Natureza, essa pessoa tem a chave para a compreensão de um milhão de fenômenos; quando compreende uma grande verdade moral, tem nela a chave para sua recriação espiritual. Para o indivíduo, não existe algo como verdade teórica; uma grande verdade que não é absorvida por nossa mente e nossa vida inteiras, e não se torna uma parte inseparável de nossa vida, não é uma verdade real para nós. Se sabemos a verdade e não a vivemos, nossa vida é... uma mentira.

Na fala, a pessoa que faz da Verdade seu lema é cautelosa com suas palavras, procura ser acurada, sem subestimar nem exagerar. Ela nunca afirma como fato aquilo de que não tem certeza. O que ela diz tem o tom da sinceridade, o selo do ouro puro. Se ela elogiá-lo, você aceita essa declaração como "lucro", não precisa decifrar um problema de aritmética mental à parte para ver que desconto deveria fazer antes de aceitar esse julgamento. A promessa dessa pessoa tem peso, você a aceita como se fosse um contrato, sabe que, não importa o quanto lhe custe verificar e cumprir com sua palavra por meio de seus atos, ela o fará. Sua honestidade não é uma política. A pessoa que é honesta meramente porque "esta é a melhor política" não é realmente honesta, é apenas política. Geralmente, uma pessoa assim abandonaria sua aparente lealdade com a verdade e faria hora extra para o diabo, se ele oferecesse termos melhores.

Verdade significa "aquilo em que se confia ou acredita". É viver de maneira simples e inequívoca segundo sua crença; é a externalização de uma fé numa série de ações. A verdade é sempre forte, corajosa, viril, embora bondosa, gentil, calma e tranquila. Existe uma diferença vital entre o erro e a falsidade. A pessoa pode estar no erro e viver bravamente em defesa dele; a pessoa que é falsa em sua vida conhece a verdade, mas a renega. Uma é leal àquilo em que acredita, a outra é uma traidora daquilo que sabe.

"O que é a Verdade?" A grande pergunta de Pilatos, feita a Cristo há quase dois mil anos, ecoou sem resposta ao longo do tempo. Obtivemos revelações constantes de partes dela, vislumbres de fases constantemente novas, mas nunca uma definição completa, final. Se simplesmente fizermos jus à verdade que conhecemos, e buscarmos saber mais, teremos nos colocado na atitude espiritual de receptividade para conhecer a Verdade na plenitude de seu poder. A Verdade é o sol da moralidade, e, como aquele sol menor no firmamento, podemos caminhar sob sua luz, viver sob seu calor e sua vida, ainda que enxerguemos apenas uma pequena parte dele e recebamos uma fração microscópica de seus raios.

Qual dentre as grandes religiões do mundo é a verdade real, final, absoluta? Devemos fazer nossa escolha individual e viver segundo ela o melhor que pudermos. Cada nova seita, cada novo culto, tem em si um grão da verdade, no mínimo;

O poder da verdade

é isso o que chama a atenção e conquista seguidores. Essa semente de mostarda da verdade amiúde é superestimada, obscurecendo os olhos das pessoas para as partes ou fases falseadas das várias fés religiosas. Entretanto, na exata proporção da verdade básica que elas contêm, é o quanto as religiões duram, tornam-se permanentes e crescem, e satisfazem e inspiram o coração da humanidade. Cogumelos de erros têm um crescimento rápido, mas exaurem sua vitalidade e morrem, enquanto a Verdade segue viva.

A pessoa que faz da aquisição de riquezas o objetivo último de sua vida, vendo isso como um fim, e não como um meio, não é verdadeira. Por que o mundo geralmente faz da riqueza o critério para o sucesso, e das riquezas, um sinônimo para a realização? O sucesso real na vida significa a conquista do indivíduo por si mesmo; significa "como ele se aprimorou", não "como ele aprimorou sua fortuna". A grande questão da vida não é "O que eu tenho?", mas sim "O que eu sou?".

As pessoas usualmente são leais ao que mais desejam. Aquelas que mentem para poupar uma moeda apenas proclamam que dão mais valor a um níquel do que à sua honra. A pessoa que sacrifica seus ideais, sua verdade e seu caráter apenas por dinheiro ou poder está pesando sua consciência de um lado da balança contra um saco de ouro do outro lado. Ela é leal ao lado que for mais pesado, o que ela deseja mais – o dinheiro. Mas isso não é verdade. A Verdade é a lealdade do coração ao que está abstratamente correto, manifestado em ocasiões concretas.

O comerciante que mente, trapaceia, engana e cobra demais e depois busca se acertar com sua consciência anêmica dizendo "mentir é absolutamente necessário nos negócios" é tão falso nessa declaração quanto o é em seus atos. Ele justifica a si mesmo com a mesma defesa mesquinha do ladrão que diz ser necessário roubar para poder viver. A prosperidade comercial permanente de um indivíduo, uma cidade ou uma nação repousa, afinal, apenas na integridade comercial, a despeito do que os cínicos possam dizer, ou do que algum sucesso temporário possa induzir a pensar. É somente a verdade que dura.

O político que está vacilando, contemporizando, alterando, sempre aparando suas velas para captar cada sopro de vento de popularidade é um trapaceiro que só obtém sucesso até ser descoberto. Uma mentira pode viver por algum tempo, mas a verdade é para sempre. Uma mentira nunca vive por conta da própria vitalidade, ela meramente continua a existir porque simula a verdade. Quando é desmascarada, ela morre.

Quando cada um dos quatro jornais de uma cidade publica a declaração de que sua circulação é maior do que a de todos os outros combinada, deve haver um erro em algum lugar. Onde há inverdade, há sempre conflito, discrepância, impossibilidade. Se todas as verdades da vida e da experiência do primeiro segundo de tempo, ou de qualquer seção da eternidade, fossem unidas, haveria a harmonia perfeita, acordo, união e unidade perfeitos, mas, se duas mentiras se unem, elas brigam e buscam destruir uma à outra.

O poder da verdade

É nas ninharias da vida diária que a verdade deveria ser nossa guia e inspiração constante. A verdade não é um terno, consagrado apenas a ocasiões especiais; é o tecido caseiro forte, bem urdido e durável para a vida cotidiana.

A pessoa que se esquece de suas promessas é falsa. Nós raramente perdemos de vista as promessas feitas para nós, em nosso benefício individual; essas, consideramos como cheques que sempre buscamos sacar o quanto antes. "O avarento nunca esquece onde esconde seu tesouro", diz um dos filósofos antigos. Que cultivemos essa honra de lei que mantém nossa palavra tão suprema, tão sagrada, que nos esquecer dela pareceria um crime, e negá-la seria impossível.

O indivíduo que diz coisas agradáveis e faz promessas que para ele são leves como ar, mas para outra pessoa parecem ser a rocha sobre a qual se constrói a esperança de uma vida, é cruelmente falso. Ele não considera seus compromissos, rompendo-os ou ignorando-os descuidadamente; é o ladrão impensado do tempo dos outros. Isso revela egoísmo, descuido e princípios morais empresariais negligentes. É falso à justiça mais simples da vida.

Pessoas que discutem minúcias com sua consciência, que enganam outros através de fraseados hábeis e astutos podem ser verdadeiras no sentido mais literal, que é verdadeiro no que diz mas mente em suas intenções e seu espírito, e são ditos de propósito para gerar uma falsa impressão, são falsos da maneira mais covarde. Essas pessoas trapaceariam até no jogo de paciência. Como assassinas, elas se perdoam pelo crime ao parabenizar-se pela astúcia de seu álibi.

O pai que prega a honra para seus filhos e mente a idade da criança ao cobrador para poupar um dinheirinho não é verdadeiro.

O sujeito que mantém sua religião na cânfora a semana toda e a tira de lá apenas no domingo não é verdadeiro. Aquele que busca obter o salário mais alto pela menor quantidade possível de trabalho não é verdadeiro. O homem que precisa cantar canções de ninar para sua consciência antes que ele mesmo possa dormir não é verdadeiro.

A verdade é a linha reta na moral. Ela é a distância mais curta entre um fato e a expressão dele. As fundações da verdade deveriam sempre ser lançadas durante a infância. É então que os pais deveriam instilar na jovem mente a busca instantânea e automática da verdade, fazendo dela a atmosfera constante na mente e na vida. Deixe a criança saber que "A Verdade acima de tudo" deveria ser o lema da sua vida. Os pais cometem um grande erro quando enxergam uma mentira como um problema moral; nem sempre é uma mentira em si, mas sim um sintoma. Por trás de cada inverdade existe uma razão, uma causa, e é essa causa que deveria ser removida. A mentira pode ser o resultado do medo, a tentativa de encobrir uma culpa e escapar da punição; pode ser meramente a evidência de uma imaginação hiperativa; pode revelar malícia ou obstinação; pode ser a fome por elogios que leva a criança a chamar a atenção e espantar os outros com histórias maravi-

O poder da verdade

lhosas; pode ser apenas um descuido na fala, o uso imprudente das palavras; pode ser a ganância que faz da mentira a aia do roubo. Porém, se, na vida do adulto ou da criança, o sintoma é forçado a revelar a doença, e esta então é tratada, a verdade se reafirma e a saúde moral é restaurada.

Dizer constantemente a uma criança para que não minta é dar vida e intensidade à "mentira". O método da verdade é acelerar a musculatura moral pelo lado positivo, instar a criança a ser honesta, ser fiel, ser leal, ser destemida quanto à verdade. Dizer sempre a ela da nobreza da coragem de falar a verdade, de viver na retidão, de apegar-se a princípios de honra em cada ninharia – e então ela jamais precisará ter medo de enfrentar nenhuma das crises da vida.

Os pais devem viver a verdade, ou a criança não a viverá. A criança o espantará com sua rapidez para furar a bolha do seu conhecimento fingido; para instintivamente penetrar até o coração de um sofisma sem consciência desse processo; de incansavelmente enumerar suas promessas não cumpridas; de detectar com a justiça de um tribunal de equidade uma tecnicalidade do discurso que é, virtualmente, uma mentira. Os pais justificarão seus próprios lapsos em relação à verdade apelando para alguma mentirinha inofensiva contada a um visitante, e entreouvida sem que eles soubessem pela criança, cujos poderes mentais sempre subestimamos em teoria, embora possamos elogiar em excesso da boca para fora.

William George Jordan

Ensine às crianças de mil maneiras, direta e indiretamente, o poder da verdade, a beleza da verdade e a doçura e a paz do companheirismo com a verdade.

E se ela for a fundação sólida do caráter da criança, como fato, não como teoria, o futuro dessa criança está tão plenamente garantido quanto é possível à previsão humana garantir. O poder da Verdade, em suas fases mais elevadas, puras e exaltadas, sustenta-se totalmente sobre quatro linhas de relação: o amor à verdade, a busca pela verdade, a fé na verdade e o trabalho pela verdade.

O amor pela Verdade é a fome cultivada por ela em si e por si, sem nenhuma consideração quanto ao que isso pode custar, que sacrifícios ela pode exigir, que teorias ou crenças de uma vida toda podem ser expostas e abandonadas. Em sua fase suprema, essa atitude de vida é rara, mas, a menos que o indivíduo possa começar a se colocar em harmonia com essa perspectiva, então irá apenas rastejar na verdade, quando poderia caminhar bravamente. Com o amor pela verdade, o indivíduo despreza fazer algo maldoso, não importa qual seja o ganho, ainda que o mundo inteiro aprove. Ele não sacrificaria a sanção de seu próprio padrão elevado por qualquer ganho, não desviaria de propósito a agulha da bússola de seu pensamento e suas ações do norte verdadeiro, como ele o conhece, nem que fosse pela menor variação. Ele mesmo saberia do desvio – isso bastaria. O que importa o que pense o mundo, se ele tem sua própria desaprovação?

O poder da verdade

A pessoa que tem certa crença religiosa e teme discuti-la, com medo de que a provem ser equivocada, não é leal a sua crença; tem, sim, a fidelidade de um covarde a seus preconceitos. Se fosse uma amante da verdade, estaria disposta a, a qualquer momento, abrir mão de sua crença por uma fé mais elevada, melhor e mais verdadeira.

O indivíduo que vota da mesma forma na política, ano após ano, sem se incomodar com nenhuma questão, nenhum candidato ou problema em particular, votando de certa forma apenas porque sempre o fez, está sacrificando a lealdade à verdade por um apego débil, errôneo e teimoso a um precedente já desgastado. Tal indivíduo deveria continuar no berço por toda a vida – porque passou seus anos iniciais ali.

A busca pela Verdade significa que o indivíduo não deve simplesmente seguir a verdade como ele a vê, mas deve, até onde puder, buscar verificar que ele está correto. Quando o Kearsarge se chocou contra o Recife Roncador, o capitão navegava corretamente, segundo sua carta. Mas seu mapa era antigo; o recife submerso não estava anotado ali. Lealdade a padrões de números anteriores quer dizer estagnação. Na China, eles aram hoje, mas fazem isso com a ferramenta de quatrocentos anos atrás. A busca pela verdade é o anjo do progresso – na civilização e na moralidade. Embora nos torne ousados e agressivos em nossa própria vida, ela nos ensina a sermos ternos e a usar de empatia com os outros.

A vida dessas pessoas pode representar uma estação pela qual passamos em nosso progresso, ou uma que devemos procurar alcançar. Podemos então parabenizar a nós mesmos sem condená-las. Todas as verdades do mundo não estão concentradas em nosso credo. Todo o brilho do sol no mundo não está concentrado na soleira da nossa porta. Deveríamos dizer sempre a verdade – mas apenas com amor e gentileza. A Verdade deveria sempre estender a mão do amor, nunca a mão que segura a clava.

A fé na Verdade é algo essencial para aperfeiçoar o companheirismo com a verdade. O indivíduo deve ter confiança e segurança perfeitas no triunfo final da retidão, da ordem, da justiça, e acreditar que todas as coisas estão evoluindo no sentido dessa consumação divina, não importando o quanto a vida possa parecer sombria e deprimente no dia a dia. Nenhum sucesso real, nenhuma felicidade duradoura pode existir, exceto aqueles encontrados na rocha da verdade. A prosperidade que se baseia na mentira, na enganação e na intriga é apenas temporária – não pode ser duradoura assim como um cogumelo não pode viver mais tempo do que um carvalho. Como Sansão cego, lutando no templo, o indivíduo cuja vida é baseada na trapaça sempre derruba as colunas de sustentação de seu próprio edifício e perece nas ruínas. Não importa qual preço a pessoa possa pagar pela verdade, ela pagará uma pechincha. A mentira dos outros nunca pode nos ferir por muito tempo; ela sempre carrega consigo nossa exoneração no final. Durante o cerco a Sebastopol, os projéteis russos que ameaçaram destruir um forte abriram uma fonte escondida na encosta da montanha e salvaram aqueles a quem buscavam matar, que estavam sedentos.

O poder da verdade

Trabalhar pelos interesses e o avanço da Verdade é uma parte necessária do companheirismo real. Se alguém tem amor pela verdade, se essa pessoa tenta encontrá-la e tem fé nela, mesmo quando não consegue encontrá-la, será que essa pessoa não trabalhará para espalhar essa verdade? A maneira mais forte que o indivíduo tem para reforçar o poder da verdade no mundo é vivê-la em todos os detalhes de pensamento, palavra e ação – é fazer para si mesmo um sol de radiação pessoal da verdade, e deixar que sua influência silenciosa fale por si e seus atos diretos a glorifiquem ao máximo em sua esfera de vida e ação. Que ele primeiro busque ser, antes de buscar ensinar ou fazer, em qualquer linha de crescimento moral.

Que a pessoa perceba que a Verdade é essencialmente uma virtude intrínseca, em sua relação consigo mesma mesmo que não houvesse nenhum outro ser humano vivente; ela se torna extrínseca quando ele a irradia em sua vida cotidiana. A verdade é, primeiro, a honestidade intelectual – o anseio de conhecer a retidão; em segundo, é a honestidade moral, a fome de viver na retidão.

A verdade não é a mera ausência dos vícios. Isso é apenas um vácuo moral. A verdade é a respiração viva, pulsante, das virtudes da vida. Meramente abster-se de cometer transgressões é somente manter as ervas daninhas longe do jardim da sua vida. Isso deve, contudo, ser seguido do plantio das sementes da correção, para garantir as flores da vida verdadeira. Aos negativos dos Dez Mandamentos devem-se somar os positivos das Bem-Aventuranças. Um condena, o outro louva; um proíbe, o outro inspira; um enfatiza o ato, o outro, o espírito por trás do ato. A verdade completa não reside em nenhum dos dois, mas sim em ambos.

A pessoa não pode acreditar verdadeiramente em Deus sem crer no triunfo final inevitável da Verdade. Se você tem a Verdade do seu lado, pode atravessar o vale da calúnia, da deturpação e do abuso, impávido, como se trajasse uma cota de malha mágica que nenhuma bala pudesse penetrar, nenhuma flecha pudesse furar. Você pode manter a cabeça erguida, empinada com destemor e desafio, olhar cada pessoa calma e firmemente nos olhos enquanto cavalga, um monarca vitorioso voltando na liderança de suas legiões com estandartes balançando e lanças cintilando e cornetas enchendo o ar de música. Você pode sentir a onda grande e extensa de saúde moral inflando-se dentro de você enquanto o sangue acelerado percorre o corpo daquele que se encontra feliz e gloriosamente orgulhoso de sua saúde física. Você saberá que tudo dará certo no fim, que deve dar certo, que o erro deve fugir diante da imensa luz branca da verdade, enquanto a escuridão foge até sumir na presença do clarão de sol. Então, com a Verdade como sua guia, sua companheira, sua aliada e sua inspiração, você lateja com a consciência de sua afinidade com o Infinito, e todas as tribulação, sofrimentos e dores mesquinhas da vida desvanecem como visões inofensivas e temporárias, vistas num sonho.

A coragem para enfrentar a ingratidão

A coragem para enfrentar a ingratidão

INGRATIDÃO, o pecado mais popular da humanidade, é o esquecimento do coração. É a revelação do vazio da lealdade fingida. O indivíduo que a tem descobre que ela é o atalho mais curto para todos os outros vícios.

A ingratidão é um crime mais desprezível do que a vingança, que apenas devolve o mal pelo mal, enquanto a ingratidão devolve o mal pelo bem. As pessoas ingratas raramente o perdoam se você lhes faz algo de bom. Seus corações microscópicos se ressentem da humilhação de terem sido ajudadas por alguém superior, e essa sensação irritante, filtrando-se por sua natureza mesquinha, com frequência acaba em ódio e traição.

A gratidão é o agradecimento expresso em atos. É a irradiação instintiva de justiça, dando nova vida e energia ao indivíduo de quem emana. É o reconhecimento pelo coração da bondade que os lábios não podem retribuir. A gratidão nunca conta seus pagamentos. Ela percebe que nenhum débito

O poder da verdade

de bondade pode jamais ser proscrito, cancelado ou pago por completo. A gratidão sente apenas a insignificância de seus pagamentos; a ingratidão, a nulidade do débito. A gratidão é o desabrochar de uma semente de bondade; a ingratidão é a inatividade morta de uma semente lançada à pedra.

A expectativa da gratidão é humana; o mostrar-se superior à ingratidão é quase divino. Desejar reconhecimento por nossos atos de bondade, ansiar pela apreciação e a simples justiça de um pagamento do bem pelo bem é natural. Mas a humanidade nunca se eleva à dignidade do viver verdadeiro até ter a coragem que ousa enfrentar a ingratidão calmamente, e busca seguir seu curso inalterado quando suas boas obras são recebidas com desdém ou ingratidão.

As pessoas têm apenas uma corte de apelação para seus atos; não é "qual será o resultado?", nem "como isto será recebido?", mas "isto é correto?". A partir daí elas poderão viver suas vidas em harmonia apenas com esse padrão, serena, brava, leal e inabalavelmente, fazendo de "a retidão pela retidão" tanto seu ideal quanto sua inspiração.

A humanidade não deveria ser uma máquina automática movida a gasolina, criada astutamente para liberar certa quantidade de iluminação quando recebe o estímulo de uma moeda. Ela deveria ser como o grande sol, que sempre irradia luz, calor, vida e potência, porque não pode evitar fazê-lo, porque essas qualidades enchem o coração do sol, e porque tê-las significa que ele precisa distribuí-las constantemente. Deixe que a luz do sol de nossa compaixão, ternura, amor, apreciação, influência e bondade escapem sempre de nós como um fulgor para iluminar e animar os outros. Mas que nunca estraguemos tudo isso ao passar pela vida sempre colecionando recibos como cupons, para colocar no arquivo de nossa autoaprovação.

É difícil ver aqueles que se sentaram à nossa mesa nos dias de nossa prosperidade fugirem como se de uma pestilência quando o infortúnio bate à nossa porta; ver a lealdade na qual teríamos apostado nossas vidas, que parecia ser firme como uma rocha, rachar e se estilhaçar como vidro fino ante o primeiro teste; saber que o fogo da amizade junto ao qual poderíamos aquecer nossas mãos no momento de necessidade virou cinzas frias e mortas, onde o calor é apenas uma lembrança assombrada.

Perceber que aqueles que antes viviam no santuário de nossa afeição, na confidência franca em que as conversas pareciam quase que um solilóquio, e para quem nossos objetivos e aspirações foram escancarados sem nenhum quarto de Barba Azul[1] reservado – que esses vinham envenenando em segredo as águas de nossa reputação e nos solapando por meio de suas mentiras e traições é, de fato, duro. Mas não importa o quanto a ingratidão nos pique, devemos apenas engolir o soluço, conter a lágrima, sorrir serena e bravamente e... buscar esquecer.

Em justiça em relação a nós mesmos, não deveríamos permitir que a ingratidão de poucos nos faça condenar o mundo

---

1. *Barba-Azul* ("*le Barbe-Bleue*") é um conto de fadas escrito por Charles Perrault em 1697, na coletânea conhecida como *Contos da Mamãe Gansa*. É a história de um rico conde que já tinha sido casado seis vezes, mas suas esposas sempre desapareciam misteriosamente. Após se casar com uma sétima, a jovem esposa se mudou para seu castelo e recebeu a seguinte instrução: todos os quartos eram livres para circulação, exceto um, que ficava trancado e cuja chave ficava com ele. Ela tanto fez que conseguiu entrar no quarto, apenas para descobrir lá os corpos das ex-esposas. (N.T.)

O poder da verdade

todo. Prestamos tributos demais a pouquíssimos insetos humanos quando permitimos que suas infrações paralisem nossa fé na humanidade. É uma mentira dos cínicos que dizem "todo mundo é ingrato", uma mentira companheira de "todo mundo tem seu preço". Devemos confiar na humanidade se desejamos receber o bem da humanidade. Aquele que julga que a humanidade inteira é vil é um pessimista que confunde sua introspecção com observação; ele olha para dentro do próprio coração e acha que vê o mundo. Ele é como um vesgo que jamais enxerga aquilo para que parece olhar.

A confiança e o crédito são as pedras basilares dos negócios, assim como da sociedade. Retire-os dos negócios e as atividades e empreendimentos do mundo parariam num instante, tombando e caindo no caos. Retire do indivíduo a confiança na humanidade e ele se torna nada além de um egocêntrico e um egoísta, o único bom homem que restou, fazendo hora extra para guardar seu rancor mesquinho contra o mundo porque alguns poucos a quem ele favoreceu foram ingratos.

Se alguém recebe uma nota falsa, não perde logo sua fé em todo dinheiro – ao menos, não existe nenhuma ocorrência registrada disso no país. Se a pessoa testemunha uma fieira de três ou quatro dias de tempo ruim, não diz que "o sol deixou de existir, certamente não virão outros dias ensolarados em todo o calendário".

Se o café da manhã da pessoa se transforma numa lembrança desagradável por algum item alimentício que durou mais do que deveria, ela não abandona o hábito de comer. Se um indivíduo encontra debaixo de uma árvore uma maçã com um buraco suspeito num dos lados, ele não condena o pomar inteiro; simplesmente restringe sua crítica àquela maçã. Mas aquele que ajudou alguém que, posteriormente, foi reprovado num bom teste de gratidão, diz numa voz queixosa com a consciência da injúria e um gesto de cabeça que implica a sabedoria de Salomão: "Eu tive minha experiência, aprendi minha lição. Esta é a última vez que terei fé em qualquer ser humano. Eu fiz isso por ele, e aquilo por ele, e agora, olhem só o resultado!".

Em seguida, desdobra uma longa agenda de favores, cuidadosamente discriminada e somada, até parecer a folha de pagamento de uma cidade grande. Ele reclama da injustiça de um homem; no entanto, está disposto a ser injusto com o mundo todo, fazendo com que sofra a punição pelos erros de um indivíduo. Já existe sofrimento indireto demais neste nosso mundo sem essa tentativa liliputiana de expandi-lo através da distribuição da ingratidão de um homem. Se um homem bebe em excesso, absolutamente não é justiça mandar o mundo inteiro para a cadeia.

O fazendeiro não espera que toda semente plantada por ele com esperança e fé caia em solo bom e gere sua colheita; ele está perfeitamente certo de que isso não vai acontecer, não pode acontecer. Ele está contando com o resultado final de muitas sementes, na colheita de todas, em vez de na colheita de uma. Se você realmente deseja gratidão, e precisa obtê-la, esteja disposto a fazer de muitas pessoas devedoras suas.

O poder da verdade

Quanto mais abnegadas, caridosas e exaltadas a vida e a missão do indivíduo, maior será o número de ocasiões de ingratidão que deverá encontrar e superar. Os trinta anos de vida de Cristo foram uma tragédia de ingratidões. A ingratidão se manifesta em três graus de intensidade no mundo – ele conheceu todos eles, em inúmeras circunstâncias amargas.

A primeira fase, a mais simples e mais comum, é a de ingratidão irrefletida, como foi demonstrado no caso dos dez leprosos curados em um dia – nove partiram sem dizer nada, apenas um agradeceu.

A segunda fase da ingratidão é a negação, um pecado positivo, não a mera negação da ingratidão. Essa fase foi exemplificada em Pedro, que, com desejo egoísta de não passar vergonha na frente de duas servas e alguns observadores, na hora em que teve a oportunidade de ser leal a Cristo, esqueceu sua amizade, perdeu toda lembrança de sua dívida com o Mestre e O negou, não uma, não duas, mas três vezes.

A terceira fase da ingratidão é a traição, na qual egoísmo fica vingativo, conforme demonstrado por Judas, o honrado tesoureiro do pequeno grupo de treze, cujos ciúme, ingratidão e trinta peças de prata tornaram possível a tragédia do Calvário.

Esses três – a ingratidão, a negação e a traição – cobrem a gama da ingratidão, e a primeira leva à segunda, e a segunda prepara o caminho para a terceira.

Devemos sempre nos erguer bem alto cima da dependência da gratidão humana, ou não poderemos fazer nada realmente grande, nem nada verdadeiramente nobre. A expectativa de gratidão é a liga que deprecia um ato que, sem ela, seria virtuoso. A pessoa que enfraquece seu benfazer pela ingratidão de terceiros está servindo a Deus com base no salário. Ela é um soldado contratado, não um voluntário. Deveria ser honesta o bastante para ver que está trabalhando por uma recompensa; feito uma criança, está sendo boa por um bônus. Ela está, na verdade, considerando sua gentileza e outras expressões de bondade como ações morais que está disposta a manter desde que lhe rendam dividendos.

Existe, numa vida assim, sempre um toque de pose; ela está à espera do aplauso da plateia. Devemos deixar que a consciência de fazer o certo, de viver à altura de nossos ideais, seja nossa recompensa e nosso estímulo, ou a vida se tornará para nós uma série de fracassos, sofrimentos e decepções.

Muito do que parece ser ingratidão na vida vem do engrandecimento de nossos próprios atos e do apequenamento que fazemos dos atos de outrem. Podemos ter superestimado a importância de algo que fizemos; pode ter sido bem trivial, puramente incidental, e o funcionamento maravilhoso do tear do tempo trouxe resultados grandes e inesperados ao recebedor de nosso favor. Com frequência sentimos que uma gratidão estupenda nos é devida, embora não fôssemos, em nenhum sentido, a inspiração do sucesso que analisamos com tanto sentimento de orgulho. Uma apresentação fortuita que fizemos na rua pode, através de uma infinidade de circunstâncias, fazer de nosso amigo um milionário. Pode nos dever um obrigado pela apresentação, e talvez nem mesmo isso, pois ela podia ser inevitável, mas

O poder da verdade

certamente erramos ao esperar que ele seja mansamente grato a nós por seus milhões subsequentes.

A essência da bondade mais verdadeira jaz na graça com que ela é executada. Algumas pessoas parecem descartar toda a gratidão, quase tornando-a impossível, pelo modo como concedem favores. Eles fazem com que você se sinta tão pequeno, tão mesquinho, tão inferior; suas bochechas ardem de indignação ao aceitar a dádiva que busca das mãos deles. Você sente como se fosse um osso jogado a um cão, em vez da benevolência rápida e compassiva que impede suas explicações e dispensa seu agradecimento com um sorriso, o prazer de um amigo que foi favorecido com a oportunidade de ser útil a outro. O sujeito que faz outro se sentir como um inseto reclinado em forno quente enquanto está recebendo um favor não tem direito algum de esperar futura gratidão – ele deveria ficar satisfeito se recebe perdão.

Vamos esquecer as boas ações que praticamos, fazendo com que pareçam pequenas em comparação com as coisas maiores que estamos fazendo e as ações ainda maiores que esperamos fazer. Essa é a verdadeira generosidade, e desenvolverá a gratidão na alma daquele que foi ajudado, a menos que esteja tão petrificado no egoísmo que isso se torne impossível. Mas lembrar constantemente a alguém dos favores que recebeu de você quase cancela o débito. O cuidado das estatísticas deveria ser um privilégio dele; você está usurpando essa prerrogativa quando relembra o débito. Apenas porque foi nossa sorte ser capaz de servir a alguém não deveríamos agir como se tivéssemos uma hipoteca sobre sua imortalidade nem esperar que essa pessoa acione o censor de adulação sempre que estiver em nossa presença.

Aquilo que com frequência nos parece ser ingratidão pode ser meramente nossa própria ignorância das sutis fases da natureza humana. Às vezes, o coração humano está tão cheio de agradecimento que não consegue falar, e, por causa da própria intensidade de sua apreciação, meras palavras lhe parecem insignificantes, mesquinhas e inadequadas, e a profundidade da eloquência de seu silêncio é mal interpretada. Às vezes, a consciência de sua inabilidade de retribuir desenvolve um orgulho estranho – pode ser uma gratidão genuína, embora insensata em sua falta de expressão –, uma determinação de não dizer nada até que a oportunidade pela qual ele esperava lhe possibilite transformar essa gratidão em realidade. Existem exemplos inumeráveis nos quais a verdadeira gratidão tem toda a aparência da mais crua ingratidão, assim como certas plantas inofensivas são feitas pela Natureza para lembrar a hera venenosa.

A ingratidão é a manifestação de alguém para quem você já não é mais necessário; é com frequência a expressão da rebeldia ante a descontinuação de favores. As pessoas raramente são ingratas antes de terem exaurido suas avaliações. Expressões profusas de gratidão não cancelam uma dívida mais do que uma nota promissória acerta uma conta. É um começo, não um fim. A gratidão que é extravagante nas palavras normalmente é econômica em todas as outras expressões.

Nenhuma boa ação desempenhada no mundo morre de fato. A ciência nos diz que nenhum átomo de matéria pode

O poder da verdade

jamais ser destruído, que nenhuma força, uma vez iniciada, termina; ela simplesmente passa por uma diversidade de fases sempre em mutação. Cada boa ação feita para terceiros é uma grande força que inicia uma pulsação sem fim ao longo do tempo e da eternidade. Podemos não saber, podemos nunca ouvir uma palavra de gratidão ou de reconhecimento, mas tudo voltará para nós de alguma forma, tão naturalmente, tão perfeitamente, tão inevitavelmente quanto o eco responde ao som. Talvez não quando esperamos, como esperamos, nem onde esperamos, mas em algum momento, de alguma forma, em algum lugar, vai voltar, como a pomba que Noé enviou da Arca retornou com a folhagem verde da revelação.

Vamos conceber a gratidão em seu sentido mais amplo e mais belo, que, se recebemos alguma bondade, estamos em dívida, não apenas com uma pessoa, mas também com o mundo inteiro. Assim como estamos em dívida a cada dia com milhares de pessoas pelos confortos, alegrias, consolações e bênçãos da vida, que nós percebamos que é apenas por meio da gentileza com todos que podemos começar a retribuir a dívida com um, começar a fazer da gratidão o clima para toda a nossa vida e uma expressão constante em atos visíveis, em vez de apenas em pensamentos. Que enxerguemos a horrível covardia e a injustiça da ingratidão, não para levá-la a sério demais nos outros, nem para condená-la com severidade excessiva, mas somente para bani-la para sempre de nossas próprias vidas e para fazer de todas as horas de nossa vida a irradiação da doçura da gratidão.

Pessoas que vivem em castelos de ar

Pessoas que vivem em castelos de ar

Viver num castelo de ar é quase tão rentável quanto ser dono de metade de um arco-íris. Não é mais nutritivo do que um jantar de doze pratos – comido num sonho. Castelos de ar são construídos de momentos dourados, e seu único valor está no material bruto, que é, assim, tornado sem valor.

O clima dos castelos de ar é pesado e estonteante com o incenso de esperanças vagas e ideais fantasmas. Neles a pessoa se acalenta na inatividade sonhadora com as canções dos feitos imponentes que ela executará, a grande influência que ela um dia terá, a vasta riqueza que lhe pertencerá, um dia, de algum jeito, em algum lugar, nos dias róseos e iluminados pelo sol do futuro. O erro arquitetônico dos castelos de ar é que o proprietário os constrói de cima para baixo, partindo das torres douradas nas nuvens, em vez de de baixo para cima, partindo de uma fundação sólida e firme de propósito e energia. Essa dieta de folhas de lótus mentais é um narcótico, não um estimulante para a mente.

O poder da verdade

Ambição, quando pareada com energia incansável, é algo bom, algo ótimo, mas em si mesma é pouco. As pessoas não podem se elevar a coisas mais altas pelo que gostariam de alcançar, mas apenas pelo que se empenham em alcançar. Para ter valor, a ambição deve sempre ser manifestada em zelo, em determinação, em energia consagrada a um ideal. Se ela é assim reforçada, assim combinada, o castelo aerado derrete em nada, e o indivíduo se posta numa nova e forte fundação de rocha sólida a partir de onde, dia a dia e pedra por pedra, poderá erguer uma imponente estrutura material do trabalho de sua vida para durar ao longo do tempo e da eternidade. O castelo de ar representa sempre a obra de um arquiteto sem um construtor; ele significa planos jamais postos em execução. Eles nos dizem que a pessoa é a arquiteta de sua própria fortuna. No entanto, se for apenas o arquiteto, construirá apenas um castelo de ar com sua vida; ele deveria ser o arquiteto e também o construtor.

Viver no futuro é viver num castelo de ar. Amanhã é a sepultura onde os sonhos do sonhador, do trabalhador que não trabalha, são enterrados. O sujeito que diz que levará uma vida nova e melhor amanhã, que promete grandes coisas para o futuro, porém não faz nada no presente para tornar esse futuro possível, está vivendo num castelo de ar. Em sua arrogância, ele está tentando fazer um milagre; busca transformar a água em vinho, ter a colheita sem a semeadura, ter um final sem um começo.

Se queremos tornar nossas vidas dignas de nós, grandiosas e nobres, sólidas e inexpugnáveis, devemos trocar castelos de ar feitos de sonhos por fortalezas de feitos. Toda pessoa com um ideal tem o direito de viver no brilho e na inspiração dele, e de imaginar a alegria de atingi-lo, assim como o viajante cansado enche a mente com o pensamento do esplendor de casa para acelerar seus passos e fazer os quilômetros cansados parecerem mais curtos, mas o trabalhador não deveria nunca se preocupar de fato com o futuro, pensando pouco nele exceto como inspiração para determinar sua rota, como os marinheiros estudam as estrelas para fazer seus planos de maneira sábia e se preparar para o futuro tornando cada dia, separadamente, o melhor e mais verdadeiro que ele puder.

Que possamos nos mostrar à altura da plenitude de nossas possibilidades a cada dia. A humanidade dispõe apenas de um dia de vida – hoje. Nós vivemos ontem, e podemos viver amanhã, mas o que temos de fato é apenas hoje.

O segredo da vida verdadeira – mental, física e moral, material e espiritual – pode ser expresso em quatro palavras: cumpra a sua parte. Essa é a fórmula mágica que transforma castelos de ar em fortalezas.

As pessoas às vezes ficam mais suaves e generosas ao pensar no que fariam se recebessem uma grande fortuna. "Se eu fosse milionário", dizem elas – e deixam a frase derreter docemente na boca, como se fosse um caramelo –, "eu bancaria gênios; fundaria uma faculdade; construiria um grande hospital; levantaria apartamentos modelo; mostraria ao mundo o que é caridade de verdade." Ah, isso é tudo tão fácil, tão fácil, essa benevolência indireta, esse gasto das fortunas de terceiros!

O poder da verdade

Poucos de nós, segundo os números mais recentes, têm um milhão, mas todos nós temos alguma coisa, alguma parte disso. Estamos cumprindo a nossa parte? Somos generosos com o que temos?

A pessoa que é egoísta com cem mil dólares não vai desenvolver asas angelicais de generosidade quando seu milhão chegar. Se o espírito generoso for uma realidade no indivíduo, em vez de uma gabolice vazia, ele irá, a toda hora, encontrar oportunidades para manifestá-lo. A irradiação de bondade não precisa ser expressa em dinheiro, de forma alguma. Pode ser demonstrada em um sorriso de interesse humano, um brilho de empatia, uma palavra de camaradagem com quem sofre e quem luta, um estender instintivo da mão auxiliadora para aquele que passa necessidade.

Nenhum ser humano vivente é tão pobre que não possa evidenciar seu espírito de benevolência em relação a seu camarada. Ele pode assumir aquela fase rara e maravilhosamente bela da caridade divina ao perceber a frequência com que um motivo é deturpado no ato; como o pecado, a dor e o sofrimento distorceram e mascararam o bem latente ao substituir uma palavra de tolerância gentil por algum brilho barato de cinismo tosco fingindo ser sagacidade. Se não somos ricos o bastante para distribuir dinheiro "vivo", que jamais sejamos pobres a ponto de faltar uma palavra para o irmão. Que deixemos nossos castelos de ar de vaga autoadulação por termos gastado de modo tão sábio milhões que jamais vimos, e ascendamos à dignidade de nos mostrar à altura da propor-

William George Jordan

ção plena de nossas posses, por mais escassas que sejam. Que possamos encher o mundo ao nosso redor com amor, brilho, doçura, gentileza, prestatividade, coragem e empatia, como se essas qualidades fossem a única moeda e nós fôssemos condes de Monte Cristo, cheios de tesouros indizíveis de ouro eternamente ao nosso dispor.

Que possamos parar de dizer "Se eu fosse" e passemos a dizer sempre "Eu sou". Que deixemos de viver no modo subjuntivo e comecemos a viver no indicativo.

A grande defesa da humanidade contra a acusação de deveres não cumpridos é a "falta de tempo". O clamor constante por tempo seria patético não fosse pelo fato de que a maioria dos indivíduos mais desperdiça seu tempo do que o utiliza. O tempo é a única posse realmente valiosa da humanidade, pois sem ele todo o seu poder deixaria de existir. Não obstante, a humanidade esbanja de maneira irresponsável seu maior tesouro como se nada valesse. A riqueza de todo o mundo não poderia comprar um segundo de tempo. Mesmo assim, os assassinos da sociedade ousam dizer em público que andaram "matando tempo". A falácia do tempo mandou mais gente para os castelos de ar do que todos os outros motivos juntos. A vida é apenas tempo; a eternidade é somente mais tempo; a imortalidade não é nada além do direito de viver por um tempo sem fim.

"Se eu tivesse uma biblioteca, eu leria" é o lamento débil de algum outro arrendatário de um castelo de ar. Se a pessoa não lê os dois ou três bons livros que possui ou que lhe estão

O poder da verdade

acessíveis, não leria nem que tivesse o Museu Britânico trazido para sua mesinha de cabeceira e o exército britânico fosse delegado para serviço contínuo entregando-lhe livros das prateleiras. O tempo sacrificado na leitura de jornais sensacionalistas poderia ser consagrado à boa leitura se o indivíduo estivesse simplesmente disposto a desfrutar de sua porção da oportunidade.

Aquele que anseia por alguma crise na vida em que possa exibir uma coragem impressionante enquanto não despende nenhuma porção dessa coragem para suportar bravamente as dores, decepções e tribulações da vida diária está vivendo num castelo de ar. Ele não passa de um pardal olhando invejosamente para os penhascos onde a águia audaz constrói seu ninho e sonhando em ser um grande pássaro como ela, talvez até ousando, com toda a condescendência, criticar o método de voo da outra e emplumar-se com as medalhas que ele ganharia por seu voo, se pudesse. É o heroísmo cotidiano que vitaliza todo o poder de uma pessoa numa emergência, que lhe dá confiança de que, quando a necessidade vier, ela estará e precisará estar pronta.

O castelo de ar tipifica qualquer delírio ou tolice que faz a pessoa abandonar a vida real por uma existência vaga, vã. Viver em castelos de ar quer dizer que o indivíduo enxerga a vida sob uma perspectiva errônea. Ele permite que seu eu mais inferior domine seu eu superior; ele, que deveria assomar como um conquistador imponente acima da fraqueza, do pecado e da tolice humana que ameaçam destruir a melhor parte de sua natureza, amarra seus próprios pulsos aos grilhões do hábito que fazem dele um escravo. Ele perde a coroa de sua majestade porque vende seu direito de nascença pelo conforto e comodidade temporários e pelas coisas vistosas do mundo, sacrificando tanto do que é melhor nele apenas por riqueza, sucesso, posição ou pelos aplausos do mundo. Ele abandona o trono da individualidade pelo castelo de ar do delírio.

Aquele que se embrulha no casaco napoleônico de seu egoísmo, hipnotizando-se para acreditar que é superior a todos os outros, que os binóculos do universo estão voltados para ele e que ele caminha pelo palco sozinho, é melhor que acorde. Ele está vivendo num castelo de ar. Aquele que, como Narciso, apaixona-se pelo próprio reflexo e pensa que tem o monopólio sobre a grande obra do mundo, cuja arrogância se ergue dele como a fumaça se ergue da lâmpada mágica do gênio e se espalha até bloquear e esconder o universo, está morando num castelo de ar.

A pessoa que acredita que toda a humanidade está unida em conspiração contra ela, que sente que sua vida é a mais difícil em todo o mundo e permite que as preocupações, dores e tribulações que ocorrem a todos nós eclipsem o sol glorioso de sua felicidade, obscurecendo seus olhos aos privilégios e bênçãos recebidos por ela, essa pessoa está vivendo num castelo de ar.

A pessoa que acha que a mais linda criatura do mundo todo é vista em seu espelho, e que troca seu legado majestoso

O poder da verdade

de vida nobre pelos simulacros, invejas, tolices, frivolidades e fingimentos da sociedade, está vivendo num castelo de ar.

O indivíduo que faz da riqueza o seu deus, em vez de seu servo, que está determinado a enriquecer, a ficar rico a qualquer custo, e que está disposto a sacrificar honestidade, honra, lealdade, caráter, família – tudo o que lhe deveria ser mais querido – em troca de uma mera pilha de dinheiro, é, a despeito de seus trajes de arminho, apenas um rico miserável, morando num castelo de ar.

Aquele ultraconservador, a vítima de falso conteúdo, aquele que não tem planos, nem ideais, nem aspirações além da rodada maçante de deveres diários nos quais se move como um peixe-dourado dentro de um globo, com frequência é vaidoso o bastante para se gabar de sua falta de progressividade em frases prontas baratas daqueles a quem ele permite que pensem por ele. Ele não percebe que a fidelidade aos deveres, em seu sentido mais elevado, quer dizer o objetivo constante do desempenho de deveres mais elevados, cumprindo, até onde se possa, ao máximo das possibilidades de cada um, não se contentando em fazer mínimo. Uma máquina faria isso, mas seres humanos de verdade sempre tentam fazer mais. Uma pessoa assim está vivendo num castelo de ar.

Com menosprezo condescendente, ele escarnece do homem de propósitos sinceros e atenciosos que vê sua meta bem distante de si mas está disposto a pagar qualquer preço, desde que honesto, para atingi-la; contente em trabalhar dia após dia, incessantemente, em meio a tempestades e estresse, e luz do sol e sombra, com a confiança sublime de que a natureza está anotando cada traço de seu esforço; que, embora os momentos com frequência pareçam sombrios e o progresso, ínfimo, os resultados devem chegar, se ele simplesmente tiver a coragem de lutar bravamente até o final. Esse indivíduo não vive num castelo de ar; ele está apenas batalhando com o destino pela posse de sua herança, e fortalece seu caráter através dessa luta, apesar de que talvez nem tudo o que ele deseja lhe seja entregue.

A pessoa que permite que o remorso por erros passados ou tristeza pelas oportunidades perdidas a impeçam de recriar um futuro orgulhoso com os novos dias entregues a seu cuidado está perdendo muito da glória de viver. Ela está repudiando o maná da vida nova dada a cada um de nós a cada novo dia, simplesmente por ter utilizado mal o maná de anos atrás. Ela é duplamente insensata, pois tem a sabedoria da experiência passada e não lucra com isso, apenas por causa de uma tecnicalidade de arrependimento inútil e mórbido. Está vivendo num castelo de ar.

O indivíduo que passa seu tempo lamentando a fortuna que teve um dia, ou a fama que levantou voo para o oblívio, desperdiçando seus momentos dourados erigindo novos monumentos no cemitério de suas realizações antigas e sua grandeza passada, fazendo com que o que ele já foi justifique o que ele é, vive num castelo de ar. Para o mundo e para o indivíduo, um único ovo de esperança renovada e determinação, com seu incrível potencial de vida nova, é maior do que mil ninhos cheios dos ovos de sonhos mortos ou de ambições irrealizadas.

O poder da verdade

Seja lá o que impeça a pessoa de viver sua melhor, mais verdadeira e mais elevada vida agora, no presente do indicativo, se for algo que essa pessoa mesma coloca como obstáculo em seu próprio caminho para o progresso e o desenvolvimento, isso para ela é um castelo de ar.

Algumas pessoas residem no castelo de ar da indolência; outras, no castelo de ar da dissipação, do orgulho, da avareza, da enganação, da intolerância, da preocupação, da intemperança, da injustiça, da intolerância, da procrastinação, da mentira, do egoísmo ou de alguma outra característica moral ou mental que as retira de seus deveres e privilégios reais de viver.

Que descubramos qual é o castelo de ar em que nós, individualmente, gastamos a maior parte de nosso tempo, e poderemos então começar uma recriação de nós mesmos. O cativeiro do castelo de ar deve ser combatido nobremente, incansavelmente.

Enquanto o ser humano passa suas horas e seus dias e suas semanas em um castelo de ar, ele descobre que os fios e linhas delicados e diáfanos da estrutura-fantasma gradualmente se tornam cada vez menos arejados; começam a ficar gradualmente mais firmes, fortalecendo-se com os anos, até que afinal paredes sólidas o cerquem. Aí ele se espanta com a percepção horrível de que o hábito e a habitação transformaram seu castelo de ar numa prisão, da qual a fuga é difícil.

E então ele descobre que a coisa mais enganadora e perigosa de todas é... o castelo de ar.

Espadas
e bainhas

Espadas e bainhas

É costume de Estados e nações agradecidos apresentar espadas como símbolos da mais alta honra aos líderes vitoriosos de seus exércitos e armadas. A espada oferecida ao almirante Schley pelo povo da Philadelphia, no final da guerra entre Estados Unidos e Espanha, custou mais de US$ 3.500, a maior parte dos quais foi gasta nas joias e na decoração da bainha. Pouco mais de meio século atrás, quando o general Winfield Scott, em cuja homenagem o almirante Schley foi batizado, recebeu uma linda espada do estado de Louisiana, perguntaram-lhe se ele havia gostado.

"É uma espada belíssima, de fato", disse ele, "mas tem uma coisa nela que eu teria preferido diferente. A inscrição deveria estar na lâmina, não na bainha. A bainha pode ser tomada de nós; a espada, jamais."

O mundo gasta muito tempo, dinheiro e energia na bainha da vida; e de menos na espada. A bainha representa o que é exibido por fora, vaidade e exposição; a espada, o valor intrínseco. A bainha é sempre a aparência; a espada, a realidade. A bainha é temporal; a espada, o eterno. A bainha é o corpo;

O poder da verdade

a espada, a alma. A bainha tipifica o lado material da vida; a espada, o verdadeiro, o espiritual, o ideal.

Aquele que não ousa seguir suas próprias convicções, mas que vive no terror do que a sociedade dirá, caindo prostrado ante o bezerro dourado da opinião pública, está vivendo uma vida vazia, de pura exibição. Está sacrificando sua individualidade, seu divino direito a levar sua vida em harmonia com seus próprios ideais elevados, por um medo covarde e adulador do mundo. Ele não é uma voz com a nota forte do propósito individual; é apenas o eco esfarrapado da voz de milhares. Não está iluminando, afiando e utilizando a espada de sua vida num combate verdadeiro; em vez disso, está preguiçosamente ornamentando uma bainha inútil com os hieroglifos de sua tolice.

A pessoa que vive além de suas posses, que hipoteca seu futuro pelo presente, que é generosa em vez de justa, que está sacrificando tudo para acompanhar a procissão de seus superiores, está realmente perdendo muito da vida. Ela também está decorando a bainha, e deixando a espada apodrecer lá dentro.

A vida não é uma competição com os outros. Em seu sentido mais verdadeiro, é uma rivalidade de cada um consigo mesmo. Deveríamos, a cada dia, buscar quebrar nosso recorde do dia anterior. Deveríamos, a cada dia, levar vidas mais fortes, melhores, mais verdadeiras; a cada dia, dominar alguma fraqueza de ontem; a cada dia, corrigir tolices passadas; a cada dia, ultrapassar nós mesmos. E isso não é nada além de progresso. E o progresso individual e consciente, o progresso infinito e ilimitado, é algo grandioso, que diferencia a humanidade de todos os outros animais. Então não daremos a mínima para as decorações belas e inúteis da aprovação da sociedade na bainha. Para nós, bastará saber que a lâmina de nosso propósito é mantida sempre afiada e pronta para a defesa da retidão e da verdade, nunca para equivocar os direitos dos outros, mas sempre para corrigir os erros em nós mesmos e naqueles ao nosso redor.

Reputação é o que o mundo pensa que a pessoa é; caráter é aquilo que ela é de verdade. Qualquer um pode jogar peteca com a reputação de alguém; já o caráter é apenas dele. Ninguém pode ferir o caráter de outrem, apenas a própria pessoa. O caráter é a espada; a reputação é a bainha. Muita gente desenvolve insônia de tanto ficar de guarda sobre sua reputação, enquanto seu caráter não lhes preocupa nem um pouco. Com frequência, causam novos amassados em seu caráter na tentativa de esculpir uma filigrana profunda e enganadora na bainha de suas reputações. A reputação é a casca que as pessoas descartam quando deixam esta vida pela imortalidade. O caráter, elas levam consigo.

A pessoa que gasta muito em doações caridosas e é dura e severa em seus julgamentos, compassiva sentimentalmente com o pecado humano e a fraqueza no abastrato, enquanto arroga a si mesma a onisciência em sua rude condenação de lapsos individuais, é caridosa apenas por fora. Ela está deixando que sua língua desfaça a boa obra de suas mãos. Está entusiasmada demais em decorar a bainha da publicidade para pensar na espada do amor real pela humanidade.

O poder da verdade

Aquele que leva a avareza ao ponto de se tornar um sovina, acumulando ouro tornado inútil para ele por não cumprir sua única função, a circulação, e que considera as necessidades da vida como luxos, é uma das piadas da Natureza, e seria engraçado, não fosse tão grave. Ele é o animal mais difícil de classificar em toda a história natural da humanidade – ele tem tantas das virtudes! É um exemplo notável de ambição, economia, frugalidade, persistência, força de vontade, autonegação, lealdade ao propósito e generosidade com seus herdeiros. Essas nobres qualidades, ele estraga na aplicação. Sua especialidade é a bainha da vida. Ele gasta seus dias fazendo uma bainha de ouro puro para a espada de estanho de uma existência desperdiçada.

Os ares e ostentações fajutos, a extravagância e a prodigalidade de alguns que ficaram ricos de súbito é revestir de ouro a bainha sem melhorar a lâmina. O verniz superficial de refinamento realmente acentua a vulgaridade nativa. Quanto mais se pule o madeiramento, mais se revela o grão da madeira. Alguns dos repentinos legatários de fortunas têm a sabedoria de adquirir a realidade do refinamento através de um treinamento cuidadoso. Esse é o verdadeiro método de colocar a espada em si em ordem, em vez de cravejar de pedras a bainha.

A pessoa que se casa apenas por dinheiro ou por um título é um Esaú[2] do início do século. Está vendendo seu direito de nascença ao amor pelo guisado de um nome vazio,

---

2. Alusão à história bíblica dos irmãos Esaú e Jacó descrita no livro de Gênesis 25: 29-34. (N.T.)

perdendo a possibilidade de uma vida de amor, tudo o que a humanidade deveria ter como mais desejado, por um mero saco de ouro ou uma coroa. Ela está decorando a bainha com um brasão e desenhos heráldicos e com ornamentos de ouro puro cravejado de joias. Sente que isso será o suficiente para a vida, e que ela não precisa de amor – amor verdadeiro, que fez deste mundo um paraíso, a despeito de todas as outras pessoas presentes. Ela não se dá conta de que existe apenas uma razão real, apenas uma justificativa para o casamento, e esta é: o amor; todos os outros motivos não são razões, são apenas desculpas. A frase "casar-se com alguém por seu dinheiro", como o mundo diz com tanta franqueza, está incorreta – a pessoa se casa com o dinheiro, e leva a outra pessoa como um ônus, uma hipoteca sobre a propriedade.

O indivíduo que procrastina, enchendo os ouvidos com a adorável canção do "amanhã", está seguindo o jeito mais fácil e mais descansado de encurtar suas possibilidades na vida. A procrastinação é sufocar a ação pelo atraso, é matar a decisão pela inatividade, é boiar no rio do tempo em vez de remar bravamente no sentido do cais desejado. É assistir às areias da ampulheta escorrerem antes de começar qualquer trabalho novo, e então reverter a ampulheta e repetir a observação. A tolice do indivíduo em protelar assim é evidente quando a qualquer segundo sua vida pode parar e as areias daquela única hora podem seguir seu curso – e ele não estará lá para ver.

A demora é o narcótico que paralisa a energia. Quando perguntaram a Alexandre como ele conquistou o mundo, ele

O poder da verdade

disse: "Sem demoras". Que nós não adiemos para amanhã o dever de hoje; que aquilo que nossa mente nos diz que deveria ser feito hoje, nossa mente e nosso corpo executem. O hoje é a espada que deveríamos empunhar e usar; o amanhã não passa da bainha de onde cada novo hoje é sacado.

A pessoa que ostenta um ar pomposo e opressivo de dignidade por ter realizado algum pequeno trabalho relevante, porque está investida de um breve manto de autoridade, perde de vista a perspectiva verdadeira da vida. Ela é destituída de humor; leva-se a sério em demasia. É apenas uma bainha de mil dólares guardando uma espada de dois dólares.

O sujeito que é culpado de inveja é a vítima do vício mais antigo na história do mundo, o traço mais maldoso e mais desprezível dos seres humanos. Ela começou no Jardim do Éden, quando Satã invejou Adão e Eva. Ela causou a queda da humanidade e o primeiro assassinato – o ato nada fraternal de Caim com Abel. A inveja é um vício paradoxal. Ela não suporta bravamente a prosperidade de outrem, tem uma dispepsia mental porque outra pessoa está se banqueteando, faz com que as roupas de quem a tem virem andrajos ante a visão do veludo de terceiros. A inveja é a contemplação maliciosa da beleza, das honras, do sucesso, da felicidade ou do triunfo de outra pessoa. É a lama que a inferioridade lança sobre o sucesso. A inveja é a gangrena da ambição insatisfeita, ela consome o propósito e mata a energia. É o egoísmo virando semente; ela sempre encontra o segredo de seu insucesso em algo fora de si mesma.

William George Jordan

A inveja é a bainha, mas a emulação é a espada. A emulação considera o sucesso de terceiros como uma lição objetiva; ela busca, no triunfo de outra pessoa, o motivo, a razão, a inspiração do método. Ela busca obter as mesmas alturas seguindo o caminho assim descoberto, não arremessar do alto de sua eminência aquele que apontou o caminho para atingi-la. Que possamos manter a espada da emulação sempre afiada e preparada na batalha do esforço honesto, não se embotando à toa e enferrujando na bainha da inveja.

A tolice suprema do mundo, as profundezas mais tristes em que a mente humana pode afundar, é o ateísmo. Certamente é de se ter pena daquele que permite que a filosofia ilógica de infiéis mesquinhos, ou suas interpretações equivocadas das revelações da ciência, o usurpem de seu Deus. Ele prende sua fé a algum sofisma engenhoso no raciocínio daqueles cujos livros leu para resumir para si o problema todo, e, num egoísmo irremediável, fecha os olhos aos milhões de provas na natureza e na vida, porque os planos completos da Onipotência não estão claros para ele.

Usando a tecnicalidade de seu fracasso para compreender algum ponto – talvez seja por isso que exista pecado, sofrimento, dor e injustiça no mundo –, ele declara que não acredita. Poderia também desacreditar do céu lá no alto, porque não o enxerga; desacreditar do ar que respira, pois invisível; duvidar da realidade do oceano, pois sua visão fraca não consegue absorver nada além de alguns poucos quilômetros do grande mar; negar até a vida em si, porque não pode vê-la, e

O poder da verdade

nenhum estudioso de anatomia já encontrou a sutil essência para colocá-la sob exame na ponta de seu bisturi.

Ele ousa descrer de Deus, apesar de Suas inúmeras manifestações, porque não desfruta da confiança plena do Criador nem recebeu permissão para ver e conferir os planos básicos para o universo. Ele guarda a espada da crença na bainha encardida da infidelidade. Ele não vê a prova de Deus no milagre diário do nascer e do pôr do sol, nas estações do ano, nos pássaros, nas flores, nas inúmeras estrelas movendo-se com sua majestosa regularidade ao comando da lei eterna, na presença do amor, da justiça, da verdade no coração dos homens, naquela confiança suprema que é intrínseca à humanidade, fazendo com que até o selvagem mais reles adore o Infinito de alguma forma. É a vaidade mesquinha do raciocínio barato que faz com que o indivíduo permita que a bainha desajustada da infidelidade esconda dele a glória da espada da crença.

A filosofia de espadas e bainhas é tão verdadeira em relação às nações quanto aos indivíduos. Quando a França cometeu o grande crime do século 19, condenando Dreyfus à infâmia e ao isolamento, tapando seus ouvidos aos gritos por justiça e buscando cobrir sua vergonha com outra vergonha ainda maior, ela embainhou a espada da honra da nação na bainha do crime de uma nação. A quebra da espada de Dreyfus quando ele foi cruelmente degradado diante do exército tipificou a degradação da nação francesa ao quebrar a espada da justiça e preservar cuidadosamente a bainha vazia com sua inscrição irônica: "*Vive la justice*".

William George Jordan

A bainha é sempre inútil no momento da emergência; aí é na espada em si que devemos confiar. Aí a inutilidade da exibição, da fachada, do fingimento, da fraqueza dourada é revelada para nós. Aí as trivialidades da vida são vistas em sua forma verdadeira. A nulidade de tudo exceto o real, o testado, o verdadeiro, torna-se luminosa num instante. Aí sabemos se nossa vida foi uma de preparação verdadeira, mantendo a espada limpa, pura, afiada e pronta, ou uma de puro ócio, sem sentido, as marcas cotidianas da tolice na bainha vazia de uma vida desperdiçada.

A conquista do evitável

A conquista do evitável

Este mundo seria um lugar encantador para se viver – se não fossem as pessoas. Elas realmente causam todo tipo de problema. O pior inimigo do homem é sempre o homem. Ele começou a jogar a responsabilidade por seus delitos em outra pessoa no Jardim do Éden, e vem fazendo isso desde então.

A maior parte da dor, do sofrimento e da desgraça na vida é puramente uma invenção humana; mesmo assim, o ser humano, com irreverência covarde, ousa jogar a responsabilidade em Deus. Isso acontece por meio da quebra das leis, sejam essas leis naturais, físicas, cívicas, mentais ou morais. Elas são leis que a humanidade conhece, mas desconsidera; ela se arrisca; ela acha que pode driblar os resultados de algum jeito. Mas a Natureza diz: "quebrou, pagou". Não há lei que seja letra morta nos códigos legais divinos da vida. Quando alguém permite que uma procissão de tochas desfile dentro de um paiol, não é cortês da parte dele referir-se à explosão que se segue como "um dos atos misteriosos da Providência".

O poder da verdade

Nove décimos de todo infortúnio, infelicidade e sofrimento do mundo são evitáveis. Os jornais diários são os grandes cronistas da dominância do desnecessário. Parágrafo após parágrafo, coluna após coluna e página após página da história sombria – acidentes, desastres, crimes, escândalos, fraqueza e pecado humanos – podem ser marcados com a palavra "evitável". Em cada circunstância, nossa informação não era completa o suficiente, nossa análise não era apurada o bastante; podemos traçar cada uma delas até sua causa, a fraqueza ou erro de onde elas emanaram. Às vezes é descuido, desatenção, negligência dos deveres, avareza, raiva, inveja, dissipação, traição da confiança, egoísmo, hipocrisia, vingança, desonestidade – qualquer uma das centenas de fases do evitável.

Aquilo que pode ser evitado deveria ser evitado. Tudo recai sobre o indivíduo. O "evitável" existe em três graus: primeiro, aquilo que se deve somente e diretamente ao indivíduo; segundo, aquilo que sofre os malfeitos daqueles ao redor do indivíduo, outros indivíduos; terceiro, as circunstâncias em que ele é a vítima desnecessária dos erros da sociedade, o inocente herdeiro da tolice da humanidade – e a sociedade não é mais do que a massa de milhares de indivíduos com a herança de maneirismos, costumes e leis que receberam do passado.

Às vezes, ficamos deprimidos e melancólicos perante o fracasso, quando a fortuna que parecia quase em nossas mãos nos escapa por causa da inveja, da malícia ou da traição de outra pessoa. Nós nos curvamos sob o peso de uma tristeza que faz a vida toda se escurecer e a estrela da esperança sumir de nossa visão; ou nos deparamos com algum infortúnio desnecessário com um desespero burro e indefeso. "Está tudo errado", dizemos, "é cruel, é injusto. Por que isso é permitido?" E, na própria intensidade de nossa emoção, repetimos semi- -inconscientemente essas palavras, numa iteração monótona, como se de alguma forma a própria repetição por si só pudesse trazer alívio, pudesse nos tranquilizar. Entretanto, na maioria das vezes isso podia ser evitado. Nenhum sofrimento é causa- do pelo mundo por direito. Seja lá qual for o sofrimento, ele é evitável, vindo da desarmonia ou de algum tipo de erro.

Na divina economia do universo, a maioria do mal, da dor e do sofrimento é desnecessária, mesmo quando sobrepujados de vez, e, talvez, se nosso conhecimento estivesse perfeito, seria visto que nada disso era necessário, e tudo era evitável. A culpa é minha, ou sua, ou a culpa é do mundo. Isso é sempre indi- vidual. O mundo em si não passa da força unida e coesa dos pensamentos, palavras e ações dos milhões que viveram ou estão vivendo. Foi por indivíduos que o grande delito que causa nosso sofrimento evitável foi acumulado, e por indivíduos ele deve ser enfraquecido e corrigido. E isso, também, é, em grande grau, culpa nossa; nós nos importamos tão pouco em agitar o senti- mento público, de chicoteá-lo até entrar em atividade a menos que o problema diga respeito a nós, individualmente.

A velha fábula grega sobre Atlas, o rei africano que susten- tava o mundo em seus ombros, tem uma aplicação moderna. O indivíduo é o Atlas sobre quem o destino do mundo repousa hoje em dia. Cada indivíduo que faça o seu melhor – e o resul-

O poder da verdade

tado é pré-ordenado; é apenas uma questão da massa incon-
quistável de unidades. Que cada indivíduo carregue sua parte
tão fielmente como se toda aquela responsabilidade repousasse
sobre ele, contudo, com a mesma calma, gentileza e despreocu-
pação como se a responsabilidade repousasse sobre os outros.

A maioria dos acidentes é evitável – como aconteceu em
Balaclava, em que "alguém fez asneira". Um dos maiores desastres do século 19 foi a enchente de Johnstown, em que a
ruptura de uma represa causou a perda de mais de seis mil
vidas. A enchente não foi mero acidente, foi um crime. Uma
represa vazando, que se sabia havia mais de um ano que não
era segura, que se sabia ser incapaz de aguentar qualquer aumento de pressão, erguia-se na entrada do vale. Abaixo dela,
jazia uma cadeia de vilarejos contendo mais de 45 mil pessoas na linha direta da enchente. Quando vieram as chuvas
pesadas, a represa enfraquecida cedeu. Se tivesse havido um
indivíduo, um integrante do Clube de Pesca South Fork cora-
joso o bastante para simplesmente fazer seu dever, um mem-
bro com a coragem de convencer seus colegas e agitar alguma
ação popular para tornar a barreira mais segura, mais de seis
mil assassinatos teriam sido evitados.

Quando um engenheiro cansado, sonolento pelo excesso
de trabalho, não consegue mais roubar da natureza o descanso
que ele merece e, dormitando por um momento em sua cabine,
deixa de ver a luz vermelha que sinaliza perigo, ou de obedecer
à explosão do torpedo de alerta, o desastre que se segue não é
culpa do Todo-Poderoso. É apenas um horrendo funeral para a

luta de uma empresa ferroviária a fim de poupar dois dólares. Um grama de prevenção vale seis quilos de inquérito policial. É um crime equilibrar a segurança e a santidade da vida humana na balança com a economia mesquinha que vem de transformar uma pessoa num mecanismo e se esquecer de que ela tem uma alma e um corpo. Leis trabalhistas sábias, justas e verdadeiras são parte das armas da sociedade para combater o evitável.

Quando um incêndio terrível deixa uma cidade desolada e uma nação de luto, a investigação que se segue geralmente comprova que um pouquinho de prudência humana poderia tê-lo evitado ou, no mínimo, reduzido o horror de tudo aquilo. Se produtos químicos ou dinamite são estocados em qualquer prédio fora do que a legislação sábia declara ser seguro, alguém foi cruelmente descuidado. Talvez seja algum inspetor que foi desleal à confiança depositada nele, permitindo que propinas anestesiassem seu senso de dever. Se a falta de saídas de incêndio acrescenta sua quota à lista de mortes, ou a avareza do proprietário fez desse prédio uma armadilha, a comoção pública se torna intensa, os jornais são vociferantes com toda a justiça em seus protestos e nas demandas de que os culpados sejam punidos. "Se as leis que já constam nos códigos legais não cobrem a situação", ouvimos todos os dias, "novas leis serão criadas para tornar impossível a repetição da tragédia"; recebemos promessas de todo tipo de reformas; o ar parece cheio com um espírito de regeneração; o mercúrio da indignação pública sobe ao ponto em que "febril" parece um termo leve e inadequado.

O poder da verdade

E então, o horror começa a desvanecer na perspectiva do passado, as pessoas voltam discretamente para seus deveres e cuidados pessoais, e a poderosa onda de protesto justificado que ameaçou tanto morre borbulhando na praia. O que era uma preocupação de todo mundo agora parece não preocupar ninguém. A tremenda energia das autoridades parece o gesto de um bêbado, que começa no ombro com uma força capaz de derrubar um boi, mas, quando chega à mão, já se esgotou, e a mão cai, desatenta, pelo ar, mal e mal com força suficiente para perturbar a serenidade de uma borboleta. Há sempre um pouquinho de progresso, um leve avanço, e é apenas o constante acúmulo desses passos que está dando ao mundo um domínio maior sobre o evitável.

A vigilância constante é o preço da conquista do evitável. Não temos direito algum de admitir qualquer erro ou mal no mundo como algo necessário até termos esgotado todas as precauções que a sabedoria humana pode sugerir para evitá-los. Quando um sujeito com uma arma na mão direita, grosseiramente coberta com um lencinho suspeito, moveu-se ao lado de uma fila de pessoas e apresentou a mão esquerda ao presidente McKinley, pressionando sua arma no peito do chefe do Executivo do povo estadunidense, alguém do serviço secreto, pago pela nação para proteger seu governante, deveria ter vigiado com tanto zelo que a tragédia seria impossível. Dois presidentes já foram sacrificados, mas vinte anos de imunidade trouxeram uma sensação de segurança onírica que diminuiu a vigilância.

William George Jordan

Deveríamos emular o exemplo das empresas de seguros, que recusam certos riscos que consideram "perigos adicionais".

A pobreza não tem um lugar necessário na vida. É uma doença que resulta da fraqueza, do pecado e do egoísmo da humanidade. A Natureza é ilimitada em sua generosidade; o mundo produz o suficiente para dar comida, roupa e conforto a cada indivíduo. A pobreza é evitável. A pobreza pode resultar da indolência, do ócio, da intemperança, imprevidência, falta de propósito ou da maldade do próprio indivíduo.

Se as causas não existem no indivíduo, devem ser encontradas na segunda classe, no delito daqueles ao redor dele, na opressão do trabalho pelo capital, no processo de moenda por meio do qual as empresas buscam esmagar o indivíduo. O indivíduo pode ser a vítima de qualquer um dos milhares de fases do erro alheio. A pobreza causada pela terceira classe, a fraqueza e a injustiça das leis e instituições humanas também são evitáveis, mas, para alcançar a causa, é preciso tempo e um esforço heroico unido de todos os indivíduos.

Na batalha contra a pobreza, os escritores que buscam inflamar os pobres contra os ricos para fomentar o descontentamento entre o trabalho e o capital cometem graves malfeitos a ambos. O que o mundo precisa é que os dois se aproximem nos elos da irmandade humana. O pobre deveria aprender mais sobre os cuidados, responsabilidades, caridades desconhecidas e preocupações intensas dos ricos; os ricos deveriam conhecer de maneira mais íntima os pesares, privações, lutas e o desespero da pobreza.

O poder da verdade

O mundo está descobrindo a grande verdade, que a melhor maneira de prevenir o crime é estudar as condições sociológicas em que ele desabrocha para buscar dar a cada pessoa uma oportunidade melhor de viver sua vida real removendo, se possível, os elementos que fazem do erro algo tão fácil, e inspirando-a a travar a batalha da vida bravamente, com toda a ajuda que os outros podem lhe dar. A ciência está cooperando com a religião no esforço para vencer o mal pela raiz, em vez do mal manifesto como crime no fruto dos ramos. É muito mais sábio prevenir do que curar; impedir que alguém se queime é muito melhor do que inventar novos emplastros para ferimentos desnecessários.

São sempre as coisas pequenas que compõem a soma do sofrimento humano. Todos os animais selvagens do mundo combinados causam danos banais quando comparados com a devastação causada pelas pestes de insetos. Os crimes da humanidade, os pecados que nos fazem recuar, assustados, não causam tanto sofrimento e infelicidade na vida quanto a multitude de pecadilhos, omitidos e cometidos, que o indivíduo, e milhões como ele, devem encarar todos os dias. Eles não são as malfeitorias que a lei pode alcançar ou punir, são apenas a infinidade de males mesquinhos pelos quais cada pessoa nunca poderá ser julgada até se postar, de cabeça baixa, diante do tribunal de justiça de sua própria consciência.

As palavras amargas de raiva e opróbrio que sobem aos nossos lábios com tanta facilidade e nos dão um momento de satisfação efêmera por arejar assim nossos sentimentos podem mudar toda a corrente da vida de alguém próximo a nós. O discurso impensado, revelando nossa falta de tato e compaixão, não pode ser apagado e transformado em nada com o apelo de "eu não estava pensando". Para almas delicadas, isso não é justificativa; elas sentem que nossos corações deveriam ser tão cheios do instinto de amar que nossos lábios não precisariam de tutor ou guardião.

Nosso dever não cumprido pode trazer infelicidade e sofrimento a centenas. A conta da costureira que a cliente rica deixa de lado sem pensar como sendo algo sem pressa alguma, a ser paga quando bem lhe aprouver, pode trazer pesar, privação ou até mesmo o fracasso para sua credora, e, por meio dela, para uma longa cadeia de outras. O resultado, se visto em toda a sua severa realidade, parece desproporcional à causa. Há lugares nos Alpes em que grandes massas de neve estão equilibradas com tanta leveza que até o ruído de um tiro pode dar início a uma vibração que deslocará uma avalanche, enviando-a em sua missão fatal para o vale.

O indivíduo que gostaria de viver a vida de acordo com o melhor que há dentro dele deve fazer de cada momento um momento de influência para o bem. Ele deve colocar diante de si como um de seus ideais a realizar-se progressivamente a cada dia de sua vida: "Se eu não puder realizar grandes feitos no mundo, farei todo o bem que puder por meio do fiel desempenho dos deveres que chegarem às minhas mãos e estando sempre preparado para todas as oportunidades. E vou me devotar a vencer o evitável".

O poder da verdade

Que o indivíduo diga a cada dia, enquanto se levanta, recém-criado, para enfrentar uma vida nova: "Hoje ninguém no mundo vai sofrer porque eu estou vivo. Eu serei gentil, ponderado, cuidadoso em pensamento, em fala e em ações. Buscarei descobrir o elemento que me enfraquece como potência no mundo e que me impede de alcançar a plenitude das minhas possibilidades. Essa fraqueza eu vou dominar hoje. Eu vou conquistá-la, custe o que custar".

Quando algum fracasso ou pesar atinge o indivíduo, ele deve ficar contente por poder provar para si mesmo que foi culpa sua – pois aí ele tem o remédio nas próprias mãos. Mentira, intriga, inveja nunca são remédios que possam evitar um mal. Elas o adiam apenas para aumentá-lo. Estão simplesmente protelando o pagamento de um débito que deverá ser pago depois – com juros e correção. É como tentar apagar um incêndio jogando querosene nas chamas.

A inveja no princípio não passa de um pensamento – no final, pode significar o cadafalso. O egoísmo com frequência assume disfarces aparentemente inofensivos, porém, é a base da infelicidade do mundo. A deslealdade pode parecer uma qualidade rara, mas a sociedade está saturada dela. Judas conseguiu sua reputação por causa de sua competência nisso. A empatia, que deveria ser a atmosfera de cada vida individual, é tão rara quanto a caridade humana. O mundo sofre de uma sobreoferta de males desnecessários criados pela humanidade. Eles deveriam ser transformados em luxos, para que a humanidade pudesse então dispensá-los.

O mundo precisa de sociedades compostas por membros comprometidos com a conquista individual das dores e sofrimentos evitáveis. O indivíduo não tem nenhum direito que seja contrário ao direito de qualquer outra pessoa. Não existem solos na música eterna da vida. Cada um deve despejar sua vida em dupla com outra pessoa. Cada momento deve ser um momento de escolha, de bem ou mal. O que o indivíduo escolherá? Sua vida será sua resposta. Que ele dedique a vida a tornar o mundo ao seu redor mais iluminado, mais doce e melhor, e por meio de sua conquista das dores e sofrimentos evitáveis irá, dia a dia, receber uma revelação mais completa da glória das possibilidades da vida individual, e aproximar-se cada vez mais da realização de seus ideais.

A companhia
da tolerância

A companhia da tolerância

A intolerância é parte dos atritos desnecessários da vida. É o preconceito em pé de guerra. A intolerância reconhece apenas um lado de qualquer questão: o seu. É a presunção de um monopólio no pensamento, a atitude da pessoa que acredita ter direitos exclusivos sobre a sabedoria e a verdade em alguma fase da vida.

A tolerância é um respeito calmo e generoso pelas opiniões dos outros, mesmo a de seus inimigos. Ela reconhece o direito de todos de cultivas os próprios pensamentos, de levar a própria vida, de ser quem se é em tudo, desde que isso não vá de encontro aos direitos de terceiros. Isso significa dar aos outros a mesma liberdade pela qual nós mesmos ansiamos. A tolerância é a justiça silenciosa, misturada com empatia. Se a pessoa que é tolerante deseja mostrar aos outros a verdade como ela a vê, buscará fazê-lo com gentileza e deferência para apontar o modo pelo qual ela encontrou paz, certeza e re-

O poder da verdade

pouso; ela tenta elevá-los a reconhecer esses ideais mais altos, como ela os julgou inspiradores; empenha-se, num espírito de amor e camaradagem com a humanidade, a liderar outrem, em vez de levá-los; a persuadir e convencer, em vez de intimidar e eclipsar.

A tolerância não usa o aríete do argumento ou o cassetete do sarcasmo, ou o florete do ridículo, ao discutir as fraquezas ou erros dos indivíduos. Ela pode açoitar ou flagelar o mal de uma era, mas é boa e gentil com o indivíduo; ela pode esfolar o pecado, mas não o pecador. A tolerância faz o indivíduo ver a verdade com algo mais alto do que sua opinião pessoal; ela o ensina a viver com as janelas de sua vida abertas para o oriente para captar os primeiros raios de sol da verdade não importando de quem eles venham, e a perceber que a fé que ele condena tão duramente pode conter a verdade que ele deseja, se ele simplesmente procurar dentro dela e testá-la antes de repudiá-la com tanta displicência.

Este nosso mundo está ficando melhor, mais tolerante e liberal. Os dias em que as diferenças nas opiniões políticas eram resolvidas e curadas pelo machado e o tijolo, quando a coragem de alguém em se levantar em nome de sua religião significava encarar os horrores da Inquisição ou a crueldade da estaca, quando ousar pensar seus próprios pensamentos em questões científicas levava nobres a um catre de palha e uma cela num calabouço – esses dias, felizmente, ficaram para trás. A Intolerância e sua irmã gêmea, a Ignorância, enfraquecem e morrem quando a luz ofuscante e pura da sabedoria é lançada sobre elas. O conhecimento é a sentença de morte para a intolerância – não apenas o aprendizado dos livros, ou a educação em escolas e faculdades, nem o acúmulo de simples estatísticas, ou migalhas de informação, mas o grande estudo compassivo da vida, dos maneirismos, costumes, objetivos, pensamentos, lutas, progresso, motivos e ideais de outras eras, outras nações, outros indivíduos.

A tolerância une os homens em elos mais próximos de fraternidade, conecta-os em união e compaixão nos fundamentos e lhes dá maior liberalidade e liberdade no que vai além dos fundamentos. Napoleão, quando era Primeiro Cônsul, disse: "Que não haja mais jacobinos, nem moderados, nem monarquistas: que sejamos todos franceses". O bairrismo e o sectarismo sempre significam a concentração em uma parte do corpo, às custas da alma do todo. O mundo religioso de hoje precisa de mais Jesus Cristo e menos seitas em seu evangelho. Quando Cristo viveu na Terra, a cristandade era uma unidade; quando ele morreu, começaram as seitas.

Nos Estados Unidos de hoje existem centenas de cidades pequenas, espalhadas por todo o país, que estão com um excesso de oferta de igrejas. Em muitas dessas cidades, mal emergindo das calças curtas de vilarejo, existem uma dúzia ou mais de igrejas fracas, lutando para manterem sua organização viva. Entre essas igrejas, amiúde há apenas uma leve diferença no credo, a muralha de lenço de papel de alguma tecnicalidade de crença. Semifaminta, arrastando uma mera sobrevivência, tentando combater uma hipoteca enorme com

O poder da verdade

uma congregação pequena e uma caixa de ofertas pequena, há pouco fervor espiritual. Por combinação, por cooperação, por tolerância, pela entrega mútua do que não for fundamental e uma concentração forte e vital e união nas grandes realidades fundamentais da cristandade, sua saúde espiritual e suas possibilidades poderiam crescer maravilhosamente. Três ou quatro igrejas robustas, vivas e em crescimento tomariam então o lugar de uma dúzia de esforçadas. Por que ter uma dúzia de pontes fracas por cima de um riacho, se poderia advir um bem maior de três ou quatro pontes mais fortes, ou até mesmo uma única ponte forte? O mundo precisa de um grande truste religioso que una as igrejas em um único corpo de fé, para preceder e preparar o caminho para o truste religioso maior, previsto na Santa Escritura: o milênio.

Podemos sempre ser leais à nossa própria crença, sem condenar aqueles que entregam sua fidelidade de acordo com sua própria consciência ou seus desejos. Os grandes reformadores do mundo, pessoas que honesta e ansiosamente buscam resolver os grandes problemas sociais e fornecer os meios para enfrentar os pecados e erros humanos, concordando perfeitamente em sua estimativa da gravidade e no horror dessa situação, com frequência propõem métodos diametralmente opostos. Eles estão considerando o assunto de diferentes perspectivas, e seria intolerância para nós, que olhamos de fora, condenar as pessoas de cada lado simplesmente por não aceitarmos seu veredito para nós.

Sobre as grandes questões nacionais levadas perante os estadistas para que decidam, homens igualmente hábeis, igualmente sinceros, justos e abnegados, diferem em seus remédios. Um, como cirurgião, sugere cortar fora a matéria ofensiva pelo uso da lâmina – isso tipifica a espada, ou guerra. Outro, como médico, insta um remédio que vá absorver e curar – essa é a prescrição do diplomata. O terceiro sugere esperar para ver o desenrolar dos sintomas, deixando o caso com o tempo e a natureza – esse é o conservador. Mas todas as três classes concordam quanto ao mal e à necessidade de enfrentá-lo.

O conflito das autoridades em todas as grandes questões a serem resolvidas pelo julgamento humano deveria nos tornar tolerantes quanto à opinião dos outros, embora possamos estar tão confiantes na retidão do julgamento formado por nós que ele parece ter sido predeterminado desde o dia da criação. Mas, se recebermos alguma nova luz que nos faça enxergar mais claramente, que mudemos de opinião de imediato, sem aquela consistência tola de algumas naturezas que continuam a usar o calendário do ano passado como guia para os eclipses deste ano. A tolerância é sempre progressiva.

A intolerância acredita ter nascido com o talento peculiar de administrar os assuntos dos outros, sem nenhum conhecimento dos detalhes, melhor do que os donos desses assuntos, que estão dedicando todo o pensamento de suas vidas às questões vitais. A intolerância é a voz do fariseu ainda chorando ao longo das eras e proclamando sua infalibilidade.

O poder da verdade

Que não busquemos encaixar no mundo todo os sapatos feitos segundo a forma de um único indivíduo. Se achamos que toda a música cessou de ser composta quando Wagner depôs sua pena, não condenemos aqueles que encontram alegria em óperas leves. Talvez eles possam às vezes subir ao nosso nível de apreciação artística e aprender as partes adequadas para aplaudir. Se sua música mais leve satisfaz suas almas, nosso Wagner faz mais por nós? Não é justo tirar a boneca de trapos de uma criança para elevá-la à apreciação da Vênus de Milo. A boneca de trapos é a sua Vênus; pode ser necessária uma longa série de bonecas cada vez melhores para que ela perceba as belezas da mulher de mármore de Melos.

A intolerância comete seus maiores erros ao medir as necessidades dos outros a partir de seu próprio ponto de vista. A intolerância ignora a equação pessoal na vida. O que seria um excelente livro para um homem de quarenta anos pode ser pior do que inútil para um menino de treze. A linha de atividade que escolhemos na vida como nossa maior quimera de felicidade, como nosso Paraíso, pode, se forçada sobre outra pessoa, ser para ela pior do que o destino pós-morte dos iníquos, segundo os teólogos mais antiquados. O que seria um café da manhã muito aceitável para um pardal seria uma refeição péssima para um elefante.

Quando nos sentamos em julgamento solene dos atos e caráter daqueles ao nosso redor e os condenamos com a indiferença tranquila de nossa ignorância, mas com a presunção de onisciência, revelamos nossa intolerância. A tolerância sempre nos leva a reconhecer e respeitar as diferenças de natureza daqueles mais próximos de nós, a levar em consideração as diferenças de treinamento, oportunidades, ideais, motivos, gostos, opiniões, temperamentos e emoções. A intolerância busca viver a vida dos outros por eles; a empatia nos ajuda a viver a vida deles com eles. Devemos aceitar a humanidade com todas as suas fraquezas, pecados e tolice e buscar fazer o melhor disso, exatamente como a humanidade deve nos aceitar. Aprendemos essa lição conforme ficamos mais velhos e, com o aumento de nosso conhecimento do mundo, vemos o quanto a vida teria sido mais feliz para nós e para os outros se tivéssemos sido mais tolerantes, mais caridosos, mais generosos.

Ninguém no mundo é absolutamente perfeito; se fosse, provavelmente seria transladado da terra para o céu, como foi Elias nos velhos tempos, sem esperar pelo brotar das asas ou pelo passaporte da morte. É uma lição difícil para a juventude aprender, mas devemos nos dar conta, como o velho professor universitário disse para sua classe, vergado com a consciência da sabedoria deles: "Nenhum de nós é infalível, não, nem mesmo o mais jovem". Que aceitemos as pequenas falhas daqueles em volta de nós como aceitamos os fatos da natureza, e façamos o melhor que podemos com eles, como aceitamos as cascas duras das nozes, a pele das frutas, a sombra que sempre acompanha a luz. Essas não são falhas absolutas, elas são com frequência apenas peculiaridades individuais. A intolerância vê o grão no olho do vizinho como sendo maior do que a tora no seu próprio olho.

O poder da verdade

Em vez de concentrar nosso pensamento no único ponto fraco em um caráter, vamos buscar encontrar alguma boa qualidade que o compense, exatamente como um crédito pode mais do que anular uma dívida num livro-razão. Que não falemos constantemente que os espinhos têm rosas. Na Natureza, existem tanto espinhos quanto farpas; espinhos são orgânicos, têm sua raiz bem funda na fibra e no ser do galho; farpas são superficiais, seguras muito levemente na cutícula ou cobrindo o galho. Existem espinhos no caráter que revelam uma desarmonia interna, que pode ser controlada apenas de dentro; também existem as farpas, que são apenas peculiaridades de temperamento que o olhar da tolerância pode ignorar e o dedo da caridade pode remover com gentileza.

A ternura da tolerância iluminará e glorificará o mundo – como o luar deixa todas as coisas lindas – se nós simplesmente assim o permitirmos. Medir uma pessoa apenas por sua fraqueza é injusto. Aquela pequena fragilidade pode não passar de uma pequena hipoteca numa propriedade imensa, e é estreito e mesquinho julgar um caráter pela hipoteca. Vamos considerar o "direito de propriedade", o excedente do valor real em relação ao crédito que lhe é imputado.

A menos que busquemos compassivamente descobrir os motivos por trás dos atos, ver as circunstâncias que inspiraram uma rota de vida, o alvo em que a pessoa está mirando, nossas condenações de rompante são apenas expressões egoístas e arrogantes de nossa intolerância. Tudo deve ser estudado de forma relativa, em vez de absoluta. O ponteiro das horas no relógio executa um trabalho tão valioso quanto o dos minutos, apesar de ser mais curto e parecer fazer somente uma parcela ínfima dele.

A intolerância no círculo de casa se exprime através do excesso de disciplina, em uma atmosfera de severidade, pesada de proibições. O lar se torna um lugar cheio de placas "Proibido pisar na grama". Isso significa a supressão da individualidade, a quebra do arbítrio das crianças, em vez de seu desenvolvimento e direção. É a tentativa tola de moldá-las de fora para dentro, como o oleiro faz com a argila; a mais alta concepção é o sábio treinamento que ajuda a criança a se ajudar em seu próprio crescimento. Os pais amiúde se esquecem de sua própria juventude; eles não têm empatia com os filhos em sua necessidade de prazer, de vestimenta, de companheirismo. Deveria haver algumas regras absolutamente firmes sobre questões essenciais, os princípios básicos da vida, com a maior margem de manobra possível para as diversas manifestações da individualidade nas fases sem importância. Confiança, compaixão, amor e verdade geram um espírito de tolerância e doçura que faz maravilhas. A intolerância converte crianças animadas e naturais em puritanas de virtude falsificada e autômatos irritantemente bons em obedecer.

A tolerância é um estado de concessões mútuas. Na vida familiar, deveria existir essa reciprocidade constante de independência, essa indulgência mútua. É o reconhecimento instintivo da santidade da individualidade, o direito de cada um viver a própria vida o melhor que puder. Quando nos impo-

O poder da verdade

mos como ditadores para tiranizar os pensamentos, palavras e ações de terceiros, estamos sacrificando o poder régio da influência com o qual poderíamos ajudar os outros, em troca do triunfo tacanho da tirania que os repele e os perde.

Talvez uma razão pela qual os filhos de homens grandiosos e bons se percam com tanta frequência seja que a disposição, a força e a virtude do pai, exigindo obediência estrita à letra da lei, matam a apreciação pelo espírito da lei, gerando uma intolerância que força a submissão sob a qual a chama do protesto e da rebelião arde lentamente, pronta para entrar em combustão ao primeiro sopro de liberdade. Entre irmão e irmã, marido e mulher, pai e filho, mestre e servo, o espírito da tolerância, de "fazer concessões", transforma uma casa de sombras e rispidez em um lar de doçura e amor.

Na sagrada relação de pais e filhos, sempre chega o momento em que o menino se torna homem, quando aquela que o pai ainda vê como sua menininha enfrenta os grandes problemas da vida como um indivíduo. A chegada de anos de discrição traz o dia em que os pais devem entregar seus poderes de tutela, quando o indivíduo recebe seu legado de liberdade e responsabilidade. Os pais ainda têm o direito e o privilégio de conselheiros e o discernimento útil e amoroso que seus filhos devem respeitar. Mas, ao encontrar-se com uma grande questão, quando o filho ou a filha se veem diante de um problema que pode significar felicidade ou sofrimento por uma vida, deve caber a ele ou ela decidir. Coerção, propinas, influência indevida, ameças de deserdação e outras armas familiares são cruéis, egoístas, arrogantes e injustas. Um filho é um ser humano, livre para fazer sua própria vida, não um escravo. Existe um limite claramente demarcado que é intolerância atravessar.

Que percebamos que a tolerância está sempre se ampliando; ela desenvolve a empatia, enfraquece a preocupação e inspira a calma. Ela é pura caridade e otimismo, é a cristandade como fato vivo e eterno, não uma mera teoria. Que sejamos tolerantes em relação à fraqueza nos outros, e severamente intolerantes em relação às nossas. Que busquemos perdoar e esquecer as falhas nos outros, perdendo de vista, até certo ponto, o que eles são, pensando no que eles poderão se tornar. Que possamos encher nossas almas com a majestosa marcha da evolução da humanidade. Que vejamos, por nós mesmos e por eles, na noz do presente, o carvalho imenso do futuro.

Deveríamos reconhecer o direito de toda alma humana a descobrir seu próprio destino, com nosso auxílio, nossa empatia, nossa inspiração, se formos privilegiados a ponto de ajudá-los a viver sua vida; mas é intolerância tentar vivê-la por eles. Cada pessoa se senta sozinha no trono de sua individualidade; ela deve reinar sozinha, e, no final de seu governo, deve prestar contas ao Deus das eras dos feitos de seu reinado. A vida é um privilégio nobre, uma prerrogativa gloriosa de toda pessoa, e é a intolerância arrogante que toca a arca sagrada com a mão da condenação cruel.

As coisas que chegam tarde demais

As coisas que chegam tarde demais

O tempo parece um humorista velho e amargo, com um apreço por reflexões tardias. As coisas que chegam tarde demais fazem parte de seu sarcasmo. Cada geração está envolvida em corrigir os erros de suas predecessoras e em fornecer novos tropeços para que sua própria posteridade acerte. Cada geração transmite à sucessora sua sabedoria e sua tolice, sua riqueza de conhecimento e suas dívidas de erros e fracassos. As coisas que vêm tarde demais significam, portanto, apenas os pagamentos atrasados de dívidas antigas. Elas significam que o mundo está ficando mais sábio, e melhor, mais verdadeiro, mais nobre e mais justo. Está emergindo das sombras escuras do erro para a luz da verdade e da justiça. Elas provam que o Tempo está tecendo um lindo tecido a partir da urdidura e da trama da humanidade, composta por fiapos e emaranhados de erros e verdades.

As coisas que chegam tarde demais são a sabedoria mais completa, as honras deferidas, a concepção mais verdadeira do trabalho de pioneiros, os bravos e robustos combatentes

O poder da verdade

que lutaram sozinhos pela verdade e foram incompreendidos e não reconhecidos. Significam uma atitude mais delicada do mundo quanto à vida. Se olharmos superficialmente para elas, as coisas que chegam tarde demais nos fazem sentir indefesos, sem esperanças, pessimistas; se vistas com o olhar da sabedoria mais profunda, elas nos revelam a grande marcha evolucionária da humanidade no sentido de coisas mais elevadas. É a proclamação da natureza de que, no final, a Retidão deve triunfar, a Verdade deve vencer e a Justiça deve reinar. Para nós, como indivíduos, é um alerta e uma inspiração – um alerta contra a privação de amor, caridade, bondade, empatia, justiça e auxílio, até que seja tarde demais; uma inspiração para que vivamos sempre em nosso melhor, sempre empenhados com esforço máximo, sem nos preocupar com resultados, mas serenamente confiantes que eles devem chegar.

Leva mais de trinta anos para a luz de certas estrelas alcançar a Terra; para outras, cem anos; outras, mil. Essas estrelas só se tornam visíveis quando sua luz alcança e reage na visão humana. É preciso quase o mesmo tempo para que a luz de alguns dos maiores gênios do mundo encontre olhos reais, que enxerguem. Então vemos esses gênios como as estrelas brilhantes na galeria de grandes imortais do mundo. É por isso que a reputação contemporânea raramente indica fama duradoura. Estamos constantemente confundindo vaga-lumes de astúcia com estrelas de gênio. O Tempo, porém, corrige todas as coisas. A fama, entretanto, não traz nenhuma alegria, encorajamento ou inspiração àquele que já passou para lá das luzes

William George Jordan

e sombras deste mundo; ela tem a tristeza das honrarias que chegam tarde demais, um toque do farsesco misturado a seu *pathos*. O reconhecimento tardio é melhor do que reconhecimento nenhum; antes tarde do que nunca; mas é tão mais verdadeiro e gentil e valioso se nunca tardou! Temos a tendência de enviar nossa condenação e nossas críticas instantâneas por vias expressas, e nossas comendas mais cuidadosas e honestas por frete econômico.

Em outubro de 1635, Roger Williams, por causa de seus apelos inspiradores a favor da liberdade individual, recebeu da Corte Geral de Masschussetts uma ordem para que deixasse a colônia para sempre. Ele foi para Rhode Island, onde morou por quase cinquenta anos. Mas a consciência oficial ficou um tanto inquieta e, alguns anos atrás, em abril de 1899, Massachussetts realmente fez uma expiação por seu ato precipitado. Os papéis originais, amarelos, desbotados e se desfazendo, foram retirados de sua tumba num escaninho qualquer e, "por uma moção ordinária, feita, apoiada e aprovada", a ordem de banimento foi solenemente "anulada e revogada, e declarada sem efeito algum". O banimento sob o qual Roger Williams se encontrava havia mais de 260 anos foi cancelado. E não há motivo agora, segundo as leis, para que Roger Williams não possa entrar no estado de Massachusetts e ali fixar residência. O ato foi um mérito e honra do estado; estava correto em seu espírito, e Roger, em espírito há mais de dois séculos, deve ter sorrido gentilmente e compreendido. Mas a reparação foi realmente... protelada excessivamente.

O poder da verdade

Os equívocos, o pecado e a tolice de uma era podem ser expiados em parte por uma era seguinte, mas o indivíduo luta sozinho. Pelo que fazemos e pelo que deixamos por fazer, apenas nós somos responsáveis. Se permitirmos que os momentos perfeitos que poderiam ser consagrados a coisas mais elevadas escorram como areia por entre nossos dedos, ninguém jamais poderá devolvê-los a nós.

A afeição humana é alimentada por sinais e símbolos dessa afeição. O mero fato de ter sentimentos bondosos não é suficiente; eles devem ser manifestados em atos. A terra ressequida não se refresca apenas pelo fato de haver água nas nuvens; é só quando a bênção da chuva cai de verdade que a terra desperta para nova vida. Estamos tão prontos para dizer "Ele sabe o quanto eu o considero" e para presumir que isso é um substituto à altura de ser expressado! Podemos saber que o sol está brilhando em algum lugar, e mesmo assim tremer pela falta de seu brilho e seu calor. O amor deveria ser evidenciado constantemente em pequenos atos de consideração, palavras de doçura e apreciação, sorrisos e apertos de mão cheios de estima. Deveria ser demonstrado como uma amorosa realidade, não como uma memória, por meio da paciência, da tolerância, cortesia e bondade.

Essa teoria da confiança presumida na persistência da afeição é uma das fases tristes da vida de casado. Deveríamos ter rosas de amor, sempre em flor, sempre emanando perfume, em vez de rosas secas, pressionadas na Bíblia da família, apenas para referência, como um memorial ao que já foi, em vez de garantia do

William George Jordan

que é. O matrimônio, com frequência demasiada, fecha a porta da vida e deixa o sentimento, a consideração e o cavalheirismo do lado de fora. A emoção pode até estar viva ainda, mas não se revela de forma adequada; a poesia rimada do amor mudou para versos brancos e, depois, para prosa sem graça. Como dizia o menino de seu pai: "Ele é cristão, mas não está trabalhando muito nisso agora". O amor sem a manifestação não alimenta o coração mais do que uma despensa trancada alimenta o corpo; ele não ilumina e clareia a rodada de deveres diários mais do que uma lâmpada apagada ilumina um cômodo. Existe amiúde um anseio no coração de um marido ou uma esposa pela expressão em palavras do amor e da ternura humana, que elas são bem-vindas não importa de qual fonte venham. Se houvesse mais cortejos que prosseguissem após o casamento, o trabalho das cortes de divórcio encolheria imensamente. Essa percepção com frequência é uma das coisas que chegam tarde demais.

Existe mais gente neste mundo faminta por bondade, compaixão, camaradagem e amor do que existem faminto por pão. Com frequência nos refreamos de dizer uma palavra calorosa de encorajamento, elogio ou congratulação a alguém, mesmo quando reconhecemos que nossos sentimentos são sabidos, por medo de deixar a pessoa convencida ou com excesso de confiança. Vamos derrubar esses diques de reserva, essas muralhas de repressão fútil, e libertar a torrente de nossos sentimentos. Foram erguidos poucos monumentos em memória daqueles que morreram por excesso de elogios. Há mais lisonja gravada nas lápides do que ouviram em vida aqueles guardados por essas mesmas pedras. As

O poder da verdade

pessoas não pedem lisonjas, não anseiam por elogios exagerados; elas querem o som honesto e reverberante do reconhecimento daquilo que fizeram, uma apreciação justa daquilo que estão fazendo, e compaixão pelo que estão tentando fazer.

Por que a morte nos torna subitamente conscientes de uma centena de virtudes em pessoas que pareciam comuns e cheias de defeitos quando em vida? Então falamos como se um anjo tivesse vivido em nossa cidade por anos e nós o descobríssemos de súbito. Se ao menos ele tivesse ouvido essas palavras enquanto vivo, se pudesse receber os elogios com, digamos, até 60% de desconto, elas poderiam ter servido de inspiração para ele quando cansado, farto e preocupado pelos problemas da vida. Mas agora os ouvidos tinham cessado de ouvir toda a música terrestre, e, mesmo que pudessem ouvir nossos louvores, as palavras não passariam de mensageiras inúteis de amor que chegaram tarde demais.

É correto falar bem dos mortos, lembrar sua força e esquecer suas fraquezas, e render em sua memória as expressões de honra, justiça, amor e pesar que enchem nossos corações. Porém, são os vivos, sempre os vivos, que precisam mais delas. Os mortos passaram para um ponto além da ajuda; nossos gritos mais loucos de agonia ou remorso não trazem nenhum eco de resposta vindo dos silêncios do desconhecido. Aqueles que estão enfrentando a batalha da vida, ainda buscando bravamente fazer e ser – estes precisam de nosso auxílio, nosso companheirismo, nosso amor, tudo o que há de melhor em nós. Melhor a

William George Jordan

flor mais ínfima colocada em nossas mãos quentes e vivas do que montanhas de rosas empilhadas sobre nosso caixão.

Se falhamos em nossas expressões com os mortos, o profundo senso de nosso pesar e a febre instintiva das emoções proclamam o vácuo do dever que agora tentamos, tarde demais, cumprir. Entretanto, existe uma reparação para a qual ainda não é tarde demais. Ela está em tornar toda a humanidade legatária da bondade e do amor humano que nos arrependemos não ter gastado; está em levar claridade, coragem e alegria para as vidas daqueles ao nosso redor. Assim, nosso remorso será comprovado genuíno, não um mero jorro temporário de sentimentalismo.

É durante o período formativo, a época em que a pessoa está buscando obter um ponto de apoio, que a ajuda conta mais; quando até o menor auxílio é imenso. Alguns livros emprestados a Andrew Carnegie quando ele começava a carreira foram, para ele, uma inspiração; ele nobremente retribuiu o empréstimo, deixando a posteridade em dívida com ele ao multiplicar por um milhão sua beneficência aspergindo bibliotecas por todo o país. Ajudar as mudinhas, as jovens árvores no crescimento do vigor – os carvalhos poderosos não têm necessidade da sua ajuda.

As palavras reconfortantes deveriam vir quando são necessárias, não quando parecem apenas protestos hipócritas ou preparações hábeis para favores futuros. Colombo, cercado por sua tripulação amotinada, ameaçando matá-lo, sozinho em meio à multidão, não teve ninguém para se postar a seu lado. No en-

O poder da verdade

tanto, quando aproximou-se da terra e as riquezas se abriram diante deles, aí eles caíram aos pés do capitão, proclamando-o quase um deus, e disseram que ele era, verdadeiramente, inspirado pelos céus. O sucesso o transfigurou – uma longa linha de praia de seixos e algumas árvores o tornaram divino. Um pouco de paciência pelo caminho, um pouco mais de companheirismo, um pouco de amor fraterno em suas horas de observar, esperar e torcer teriam sido um excelente bálsamo para sua alma.

É na infância que os prazeres contam mais, quando o menor investimento de bondade traz os maiores retornos. Vamos dar às crianças a luz do sol, amor, companheirismo, compaixão por seus pequenos problemas e preocupações que lhes parecem tão grandes, interesse genuíno em suas esperanças crescentes, seus sonhos e anseios vagos e desproporcionais. Vamos nos colocar no lugar delas, ver o mundo através de seus olhos para poder gentilmente corrigir os erros de perspectiva com nossa sabedoria maior. Essas bagatelas as deixarão genuinamente felizes, muito mais felizes do que coisas mil vezes maiores que cheguem tarde demais.

A procrastinação é a mãe de incontáveis famílias de coisas que chegam tarde demais. A procrastinação significa marcar um compromisso com a oportunidade para "vir de novo amanhã". Ela mata o autocontrole, suga a energia mental, torna o homem uma criatura de circunstâncias, em vez de criador delas. Existe um ramo da procrastinação que é uma virtude. É o de nunca cometer um erro hoje que pode ser adiado para amanhã, nunca desempenhar hoje um ato que pode envergonhar o amanhã.

Existem pequenos distanciamentos na vida, pequenos mal-entendidos que são ignorados em silêncio entre amigos, cada um blindado demais pelo orgulho e apaixonado demais por si mesmo para rompê-los. Há um momento em que algumas poucas palavras diretas colocariam tudo nos eixos, as nuvens se abririam e o clarão do amor irromperia novamente. Mas cada um deles alimenta um senso débil e mesquinho de dignidade, a ruptura se amplia, eles vão se afastando, e cada um segue seu caminho solitário, ansiando pelo outro. Eles podem despertar para a consciência tarde demais para unir os pedacinhos de afeição em uma nova vida.

A sabedoria que chega tarde demais em mil fases da vida usualmente tem um efeito irritante e deprimente sobre o indivíduo. Ele coloca boa parte dela na conta da experiência. Se nenhuma sabedoria viesse tarde demais, não haveria experiência. Ela apenas significa, no final das contas, que somos mais sábios hoje do que éramos ontem, que vemos todas as coisas em suas relações verdadeiras, que nosso caminho de vida foi iluminado.

O mundo tende a julgar pelos resultados. Ele fica feliz em ser acionista do nosso sucesso e prosperidade, mas constantemente evita os exames da compaixão e da compreensão. A pessoa que rema contra a maré pode ter apenas um ou dois fiéis para ajudá-la. Quando a maré vira e sua habilidade acelera seu curso e ela é carregada sem esforço, encontra barcos apressando-se até ela vindos de todas as direções como se tivesse subitamente acordado e se flagrado em uma regata. A ajuda então vem quando é tarde demais; ela já não precisa disso. A

O poder da verdade

própria pessoa então deve montar guarda contra a tentação do cinismo, da frieza e do egoísmo. Em seguida, deveria se dar conta e determinar que o que ela chama de "o jeito que o mundo é" pode não ser o seu jeito. Que ela não chegará tarde demais com seu estímulo a outros que lutaram tão bravamente quanto ela, mas que, não sendo tão fortes, podem deixar os remos caírem por puro desespero, pela ausência do estímulo sequer de uma palavra amistosa de incentivo em uma crise.

A velha canção da filosofia melancólica diz: "O moinho jamais tornará a moer com a água que já passou por ali". Por que o moinho deveria esperar usar a mesma água, repetidas vezes? Essa água pode agora estar alegremente movendo rodas de moinhos mais adiante no vale, prosseguindo sem cessar sua boa obra. É bobagem pensar tanto na água que já passou. Pense mais no grande riacho que está sempre fluindo. Use-o o melhor que puder, e, quando ele tiver passado, você ficará feliz por ele ter vindo, e estará satisfeito com o serviço prestado por ele.

O tempo é um riacho poderoso que vem a cada dia com um fluxo infinito. Pensar nessa água dos tempos passados com tanto arrependimento a ponto de fechar seus olhos para o poderoso rio do presente é pura tolice. Que possamos fazer o melhor ao nosso alcance com o hoje, na melhor preparação para o amanhã; em seguida, mesmo as coisas que chegam tarde demais serão novas revelações de sabedoria para usar no presente, agora, diante de nós, e no futuro que estamos formando.

O caminho do reformista

O caminho do reformista

Os reformistas do mundo são os indivíduos de propósito mais grandioso. São indivíduos com a coragem da convicção pessoal, gente que ousa ir contra as críticas de seus inferiores, gente que voluntariamente carrega as cruzes pelo que aceita como correto, mesmo sem a garantia de uma coroa. São pessoas que descerão com alegria às profundezas do silêncio, da escuridão e do esquecimento, mas apenas para emergir no final como mergulhadores com pérolas nas mãos.

Aquele que trabalha incansavelmente pela obtenção de uma meta nobre, com os olhos fixos na estrela guia de algum propósito valoroso, como os magos seguindo a estrela no Oriente, esse é um reformista. Aquele que é leal à inspiração de algum grande pensamento religioso e, com mão forte, guia os passos débeis e vacilantes da fé para a glória da certeza, esse é um reformista. Aquele que segue o tênue fio de alguma revelação da Natureza em qualquer das ciências, que o segue no espírito da verdade em meio a um labirinto de dúvida, espe-

O poder da verdade

rança, experimentos e questionamentos, até que o minúsculo fio guia cresça, ficando mais forte e firme ao toque, levando-o a alguma iluminação maravilhosa da lei da Natureza, esse é um reformista.

A pessoa que sobe sozinha as montanhas da verdade e, luzindo com a radiância de alguma revelação potente, retorna para forçar o mundo apressado a escutar sua história, é uma reformista. Seja lá quem buscar decifrar por si mesmo seu destino, a obra da vida que toda a sua natureza lhe diz que deveria lhe pertencer, bravamente, calmamente e com a devida consideração aos direitos dos outros e seus deveres com eles, esse alguém é um reformista.

Essas pessoas que renunciam ao lugar-comum e ao convencional em nome de coisas mais elevadas são reformistas porque estão se empenhando para promover novas condições; estão consagrando suas vidas aos ideais. Elas são a brava vanguarda agressiva do progresso. São pessoas que podem suportar um cerco, que podem realizar longas marchas forçadas sem um murmúrio, que cerram os dentes e baixam a cabeça enquanto lutam para atravessar a fumaça, que sorriem ante as tribulações e privações que ousam intimidá-las. Elas não se importam nem um pouco com as dificuldades e perigos da luta, pois estão eternamente inspiradas pela flâmula do triunfo que parece já tremular na cidadela de suas esperanças.

Se estamos enfrentando alguma grande ambição da vida, que vejamos se nossos planos heroicos são bons, elevados, nobres e exaltados o bastante para o preço que devemos pagar para obtê-los. Que olhemos séria e honestamente para nossas necessidades, nossas habilidades, nossos recursos, nossas responsabilidades, para nos assegurar de que não é um mero capricho passageiro o que nos guia. Vamos ouvir e considerar todos os conselhos, todas as luzes que possam ser lançadas de todos os lados, vamos ouvir como um juiz numa bancada escuta as evidências e então toma a própria decisão. A escolha de uma obra para a vida é uma responsabilidade sagrada demais para o indivíduo para que seja decidida em nome dele por outros, informados de forma menos minuciosa do que ele mesmo. Quando pesamos na balança a grande questão e tomamos nossa decisão, que possamos agir, que possamos concentrar nossas vidas naquilo que sentimos ser supremo e, sem nunca renegar um dever real, que possamos nunca nos desviar de atingir as coisas mais elevadas, não importando qual o preço honesto que podemos ter de pagar por sua realização e conquista.

Quando a Natureza decide que algum indivíduo é um reformista, ela sussurra para ele sua grande mensagem, coloca nas mãos dele o cajado da coragem, envolve-o nos mantos da paciência e da autossuficiência e o coloca em seu caminho. Em seguida, para que ele possa ter forças para sobreviver a tudo, ela misericordiosamente o chama de volta por um momento e faz dele... um otimista.

O caminho do reformista é difícil, muito difícil. O mundo sabe pouco a respeito, pois é raro que o reformista revele as cicatrizes do conflito, as pontadas da esperança deferida, as po-

O poder da verdade

derosas ondas de desespero que batem contra um grande propósito. Às vezes, pessoas de mira sincera e ambições elevadas e abnegadas, cansadas e desgastadas com a luta, permitiram que o mundo ouvisse um soluço descontrolado de desespero ou uma palavra de amargura momentânea diante da vacuidade aparente de todo o esforço. Mas gente de grande propósito e ideais nobres deve saber que o caminho do reformista é a solidão. Eles devem viver de seu interior, em vez de na dependência de fontes externas de auxílio. Sua missão, sua exaltada meta, seu objetivo supremo de vida, no qual focam toda a energia, deve ser sua fonte de força e inspiração. O reformista deve sempre acender a tocha de sua própria inspiração. Sua própria mão deve sempre proteger a chama sagrada enquanto ele se move constantemente adiante em seu caminho solitário.

O reformista da moral, da educação, da religião, da sociologia, da invenção, da filosofia, de qualquer linha de aspiração, é sempre um pioneiro. Seu privilégio é abrir o caminho para os outros, marcar, por sua conta e risco, uma estrada que outros possam seguir em segurança. Ele não deve esperar que o caminho esteja nivelado e asfaltado para ele. Deve se dar conta de que precisará encarar injustiças, ingratidão, oposição, mal-entendidos, a cruel crítica de seus contemporâneos e, com frequência, o mais difícil de tudo: a repreensão curiosa daqueles que mais o amam.

Ele não deve esperar que o cágado simpatize com o voo da águia. Um grande propósito é sempre um isolamento. Será que um soldado, liderando a esperança perdida, deve reclamar que o exército não o acompanha? A gloriosa oportunidade à sua frente deveria inspirá-lo tanto, absorvê-lo tanto, que ele não se importaria em nada com o exército, exceto para saber que, se ele liderar como deveria, e fizer aquilo que a crise exige, o exército deve segui-lo.

O reformista deve perceber, sem nenhum traço de amargura, que o mundo ocupadíssimo não liga muito para as lutas dele, liga apenas para a alegria em seu triunfo final; ele compartilhará dos banquetes, mas não dos jejuns. Cristo estava sozinho em Getsêmane, mas no sermão da montanha, onde foi fornecido o alimento, o público foi de quatro mil pessoas.

O mundo é bem honesto em sua atitude. É preciso tempo para que o mundo perceba, aceite e assimile uma grande verdade. Desde a aurora dos tempos, o grande espírito conservador de todas as épocas, o lastro que mantém o mundo equilibrado, faz da aceitação lenta das grandes verdades algo essencial para sua segurança. Ela sabiamente requer provas, atestados claros, absolutos e inegáveis antes de finalmente aceitar. Às vezes, a iluminação perfeita leva anos, às vezes, gerações. É apenas a salvaguarda da verdade. O tempo é o teste supremo, a corte final de apelação que peneira o joio das afirmações falsas, revelações fingidas, gabolices vazias e sonhos à toa. O tempo é a pedra de toque que finalmente revela todo o ouro verdadeiro. O processo é lento, necessariamente, e o destino dos gênios e reformistas do mundo na balança das críticas de seus contemporâneos deveria ter a doçura da consolação em vez do amargor do cinismo. Se os maiores líderes do mundo tiveram

O poder da verdade

que esperar pelo reconhecimento, será que nós, cujo melhor trabalho provavelmente não passa de ninharia em comparação ao deles, podemos esperar empatia, apreciação e cooperação instantâneas quando estamos apenas crescendo na direção de nossas próprias metas?

O mundo sempre diz a seus líderes, através de suas atitudes, se não por palavras: "Se você nos liderar a reinos mais elevados de pensamento, a ideais de vida mais puros, e nos mostrar um vislumbre, como a escrita no muro, de todas as glórias de desenvolvimento possíveis, você é quem deve pagar o preço por eles, não nós". O mundo tem uma lei tão claramente definida quanto as leis de Kepler: "Crédito contemporâneo por trabalhos reformistas em qualquer linha de ação virá na proporção inversa à raiz quadrada de sua importância". Dê para nós uma nova moda e nos prostraremos na poeira do chão; dê para nós uma nova filosofia, uma revelação maravilhosa, uma concepção mais elevada da vida e da moralidade, e podemos ignorá-lo, mas a posteridade pagará por isso. Envie suas mensagens com pagamento na entrega e a posteridade acertará a conta. Você pede pão; a posteridade lhe dará uma pedra, chamada de monumento.

Não há nada nisso para desencorajar os maiores esforços do gênio. O gênio é grandioso porque está décadas à frente de sua geração. Apreciar o gênio requer compreensão e as mesmas características. O público pode apreciar plenamente apenas o que está poucos passos adiante; ele deve se acostumar para apreciar o grande pensamento. O gênio ou o reformis-

William George Jordan

ta deveriam aceitar isso como uma condição necessária. É o preço que se deve pagar por estar à frente de sua geração, da mesma forma que os lugares na frente da orquestra custam mais do que aqueles na última fileira da terceira galeria.

O mundo é imparcial em seus métodos. Ele sempre diz: "Você pode sofrer agora, mas lhe daremos fama mais tarde". A fama póstuma significa que o indivíduo pode tremer de frio, mas seus netos terão sobretudos forrados de pele; o indivíduo planta as nozes, sua posteridade vende os carvalhos. A fama póstuma ou o reconhecimento é um cheque passado para o indivíduo, mas pagável apenas a seus herdeiros.

Não há nada que o mundo peça com tanta frequência quanto uma ideia nova; não há nada que o mundo tema tanto. Os marcos do progresso na história das eras contam essa história. Galileu foi jogado na prisão em seu septuagésimo ano, e suas obras, proibidas. Ele não havia cometido crime algum, mas estava à frente de sua geração. A descoberta de Harvey da circulação sanguínea só foi aceita pelas universidades do mundo 25 anos depois de sua publicação. Frœbel, o gentil e inspirado que adorava crianças, sofreu as tribulações e lutas do reformista, e seu sistema de ensino foi abolido na Prússia porque era "calculado para criar nossos jovens no ateísmo". Assim foi com milhares de outros.

O mundo diz, com um gesto largo e displicente da mão: "A oposição ao progresso está completamente no passado; hoje em dia o grande reformista ou o grande gênio são reconhecidos". Não, no passado eles tentavam matar uma grande

O poder da verdade

verdade pela oposição; agora, buscamos gentilmente sufocá-la transformando-a numa moda.

Assim está escrito no livro da natureza humana: os salvadores do mundo devem sempre ser mártires. A morte de Cristo na cruz em nome das pessoas a quem veio para salvar exemplifica a crucificação temporária da opinião pública, que chega para todos que trazem às pessoas a mensagem de alguma grande verdade, alguma revelação mais clara do divino. A verdade, a retidão e a justiça devem triunfar. Que nunca fechemos os livros de uma grande obra e digamos que "ela falhou".

Não importa quão pífios pareçam os resultados, quão sombrio o prognóstico, a gloriosa consumação do passado e a revelação do futuro devem chegar. E Cristo viveu trinta anos e teve doze discípulos, um o renegou, um duvidou dele, um o traiu, e os outros nove eram muito humanos. E na crise suprema de Sua vida, "todos eles o abandonaram e fugiram", mas hoje Seus seguidores são milhões.

Doce, de fato, é a compaixão humana.

Aperto de mão caloroso da confiança e do amor traz um rico afluxo de força renovada para aquele que está lutando, e o conhecimento de que alguém que nos é querido vê com amor e camaradagem nosso futuro através de nossos olhos é um maravilhoso trago de vida nova. Se temos isso, talvez a lealdade de duas ou três pessoas, o que o mundo diz ou pensa a nosso respeito não deveria contar muito. Mas, se isso nos é negado, então devemos bravamente seguir em nosso caminho cansados sozinhos, na direção do alvorecer que deve vir.

William George Jordan

O mundinho ao nosso redor que não nos compreende, não aprecia nossa ambição nem simpatiza com nossos esforços, que, para ele, parecem fúteis, não é intencionalmente cruel, calejado, amargo, cego ou sem coração. Ele está apenas ocupado com suas próprias buscas, problemas e prazeres, e não percebe por completo, não enxerga como nós.

O mundo não enxerga nosso ideal como nós enxergamos, não sente o brilho da inspiração que faz nosso sangue cantar, nossos olhos brilharem e nossa alma ser inundada por uma luz assombrosa. Ele não vê nada além do áspero bloco de mármore diante de nós e da grande massa de lascas e fragmentos de empenho aparentemente infrutífero aos nossos pés, mas não enxerga o anjo da realização lentamente emergindo de sua prisão de pedra, do nada para a existência, sob os golpes incansáveis de nosso cinzel. Ele não ouve o leve farfalhar de asas que já parecem reais para nós, nem a glória da música do triunfo que já ressoa em nossos ouvidos.

Ocorrem dias sombrios e melancólicos em toda grande obra, quando o esforço parece inútil, quando a esperança mais parece um delírio, e a confiança, a miragem da tolice. Às vezes, por dias nossas velas oscilam à toa contra o mastro, sem nem um sopro de vento para empurrá-lo em seu caminho, e com uma sensação paralisante de que você precisa somente sentar e esperar e esperar. Às vezes, sua nave de esperança é carregada de volta por uma maré que parece desfazer, em momentos, seu trabalho de meses. Mas pode não ser de fato assim; talvez você tenha sido colocado num canal que o levará mais perto de seu

O poder da verdade

refúgio do que você ousava esperar. Essa é a hora que nos testa, que determina se somos mestres ou escravos das condições. Assim como na batalha de Marengo, é a luta que travamos quando tudo parece perdido que realmente conta e arranca a vitória das mãos da derrota iminente.

Se você está buscando realizar algum grande propósito que sua mente e seu coração lhe dizem que é correto, você deve ter o espírito do reformista. Deve ter a coragem de enfrentar julgamentos, pesares e decepções, de encará-los de frente e seguir adiante, incólume, intrépido. Na sublimidade de sua fé perfeita no resultado, você pode torná-los impotentes para feri-lo, feito uma gota de orvalho caindo sobre as pirâmides.

A Verdade, com o tempo como seu aliado, sempre vence no final. O conhecimento da falta de apreciação, da frieza e da indiferença do mundo jamais deveria torná-lo pessimista. Ele deveria inspirá-lo com aquele otimismo grande e vasto que vê que nem toda a oposição do mundo poderá jamais impedir o triunfo da verdade, que a sua obra é tão grandiosa que as invejas, deturpações e dificuldades mesquinhas causadas por aqueles ao seu redor mínguam até desaparecer. Que importância dá o mensageiro do rei a suas tribulações e sofrimentos se ele sabe que entregou sua mensagem? Grandes movimentos, grandes planos, sempre levam tempo para se desenvolver. Se você deseja coisas grandiosas, pague o preço por elas, como um adulto.

Qualquer um pode plantar rabanetes; é preciso coragem para plantar nozes e esperar pelos carvalhos. Aprenda a olhar não apenas para as nuvens, mas também através delas, para o sol brilhando logo atrás. Quando as coisas parecem mais sombrias, segure sua arma com mais firmeza e lute com mais ardor. Sempre há mais progresso do que você pode perceber, e é realmente apenas o resultado da batalha que vale.

E quanto tudo terminar e a vitória for sua, e a fumaça sumir e o cheiro de pólvora se dissipar, e você enterrar as amizades que morreram porque não suportaram a tensão, e cuidar dos feridos e dos corações de pedra que lealmente se mantiveram ao seu lado, mesmo na dúvida, então os duros anos de luta parecerão somente um sonho. Você se levantará, bravo, animado, fortalecido pela luta, recriado para uma vida nova, melhor e mais forte por uma nobre batalha, nobremente travada em nome de uma nobre causa. E o preço lhe parecerá... nada.

Livros para mudar o mundo. O seu mundo.

Para conhecer os nossos próximos lançamentos
e títulos disponíveis, acesse:

🌐 www.**citadel**.com.br

Ⓕ /**citadeleditora**

📷 @**citadeleditora**

🐦 @**citadeleditora**

▶ Citadel – Grupo Editorial

Para mais informações ou dúvidas sobre a obra,
entre em contato conosco por e-mail:

✉ contato@**citadel**.com.br